Violences
et insécurité urbaines

ALAIN BAUER

PDG d'AB Associates, groupe de conseil en sûreté urbaine,
Enseignant à la Sorbonne - IHESI

XAVIER RAUFER

Directeur des études,
Département de recherche sur les menaces criminelles contemporaines,
Université Paris II - Panthéon-Assas

Neuvième édition mise à jour

27e mille

Merci à Stéphane Quéré qui a pu revoir et corriger cette nouvelle édition.

Merci à Claude Boucher et à Christophe Soullez.
L'expérience concrète et la pratique du terrain du premier, les études et recherches du second nous ont été précieuses.

Édition 2004

Les chiffres publiés dans cette réédition (refondue et remise à jour) restent préoccupants. Au cours de l'année 2003, les violences ont continué à s'aggraver dans notre pays. Les auteurs tiennent ici à préciser que cette dégradation ne leur procure aucune satisfaction. Ce texte a été écrit en fonction du seul principe de réalité : quand les violences urbaines se résorberont, ils l'écriront tout aussi bien dans de prochaines éditions de ce livre – avec plus de plaisir cependant.

ISBN 2 13 054882 2

Dépôt légal — 1re édition : 1998
9e édition mise à jour : 2005, janvier

© Presses Universitaires de France, 1998
6, avenue Reille, 75014 Paris

INTRODUCTION

Le médecin devant son patient, le mécanicien penché sur une voiture en panne, la mère veillant son enfant malade – l'homme politique enfin, face à un défi grave –, tous réagissent d'instinct en deux temps : ils font d'abord un diagnostic aussi informé et précis que possible, puis élaborent une solution, une thérapie, un plan permettant de réparer le véhicule, de remettre le malade sur pied, de résoudre le problème. C'est la démarche que nous adoptons ici, étant bien entendu que du réalisme de la première phase dépend l'efficacité de la seconde.

I. – L'insécurité n'est pas un fantasme

En matière d'insécurité urbaine, cette dernière précision est loin d'aller de soi : souvenons-nous qu'il a fallu dix ans à la sphère médiatico-politique pour cesser de concevoir l'insécurité urbaine comme un fantasme ; près de quinze pour qu'elle se persuade de la gravité de la situation puis entreprenne d'informer et de réagir. Car si la conscience du problème existait dès la fin des années 1970 – en 1976, le président Giscard d'Estaing assignait trois priorités à l'action de son nouveau Premier ministre, Raymond Barre, dont justement l'insécurité ; en 1977, le « Comité d'études sur la violence, la criminalité et la délinquance » présidé par Alain Peyrefitte publiait ses travaux sous le nom de *Réponses à la violence* –, la réalité du péril était alors mise en doute. Notamment par une grande partie de l'intelligentsia qui faisait de « l'insécurité urbaine une arme pour le pouvoir »[1].

Négation du problème ? Confiance excessive – y compris à droite – dans les approches sociales et préventives ? Dès les années 80, les grands traits de l'insécurité urbaine sont fixés ; par la suite, la situation ne fait que s'aggraver, année après année, l'absence de diagnostic réaliste ne contribuant pas à corriger le phénomène.

Premier acte du drame : et s'il s'agissait seulement d'une psychose collective frappant des « beaufs » de banlieue ? Pas de problème : si c'est le cas, une communication efficace résorbera ces « bleus à l'âme ». Second acte : tous les indicateurs montrent qu'il y a bien insécurité urbaine – et surtout suburbaine. Pas de panique : l'approche sociale du phénomène, accompagnée de programmes uniquement préventifs, viendra aisément à bout d'un problème certes réel – mais somme toute, bénin.

Or la situation est tout sauf anodine. À l'inverse, toutes les données disponibles montrent que, depuis le début des années 1980, la criminalité s'est enracinée dans plusieurs centaines de quartiers urbains et péri-

1. Titre d'un livre de Henri Coing et Christine Meunier, consacré au « mythe » de l'insécurité, publié en 1980 aux Éditions Anthropos. Dans la même optique, voir aussi *Imaginaires de l'insécurité*, de Werner Ackermann, Renaud Dulong et Henri-Pierre Jeudy, Librairie des Méridiens, coll. « Réponses sociologiques », 1983.

urbains de la France métropolitaine. Des zones où, souvent sans partage, règnent des délinquants toujours plus jeunes, toujours plus violents, toujours plus réitérants.

Bien sûr, tout a concouru à compliquer, à retarder la perception de cette réalité : l'aveuglement idéologique, on l'a vu, mais surtout les pieuses intentions, le désir méritoire de ne pas stigmatiser des populations déjà défavorisées[1], le bon cœur poussant à morigéner plutôt qu'à sanctionner ; enfin, la croyance en une maxime médicale – en l'occurrence, trompeuse – selon laquelle le préventif est moins destructeur que le curatif. À cela s'ajoutait un respect marqué des bienséances du moment et la foi en une « exception française » dont l'aspect illusoire est souvent démontré. Dans le cas présent : « La France n'est pas Chicago. » Souvenons-nous : en 1982, « la prévention à la française » allait remédier à tout ça...

II. – Une population
en quête de sécurité

Or, au cours des années, l'échec patent de ce « tout prévention » a fini par provoquer une insurrection si-

---

1. Il faut d'ailleurs souligner le réalisme tardif des médias. Ainsi, dans *Le Monde* du 4 décembre 2001, le P. Christian Delorme souligne-t-il : « En France, nous ne parvenons pas à dire certaines choses, parfois pour des raisons louables. Il en est ainsi de la surdélinquance des jeunes issus de l'immigration, qui a longtemps été niée, sous prétexte de ne pas stigmatiser. » Voir également « Délinquance : les statistiques qui dérangent » (*Le Point* du 24 juin 2004).

lencieuse des résidents des quartiers ravagés par la violence sociale. Année après année, sondage après sondage, la population tente inlassablement de crier le même message à des gouvernants politiquement divers, mais atteints d'une analogue surdité.

• Sondage TNS SOFRES pour le « Salon européen de la mobilité » en juin 2004 :

L'amélioration de la sécurité dans les transports publics est considérée comme « prioritaire » par 40 % des Franciliens et comme « très importante » pour 48 % d'entre eux.

• IFOP-Préfecture de police, octobre 2003, sur les principales préoccupations des Parisiens :

L'insécurité (36 % contre 59 % en 2002) arrive en sixième position derrière la pollution (65 %), la circulation et le stationnement (55 %), le bruit (43 %), les sans-abris (42 %) et la propreté (41 %).

• CESDIP-Conseil régional d'Île-de-France (Grande enquête faite en 2003 sur le thème « Les victimes et le sentiment d'insécurité en Île-de-France »).

Au premier rang des préoccupations des Franciliens :

– 37,5 % : le chômage (24,64 % en 2001) ;
– 27,8 % : l'insécurité (39,21 % en 2001) ;
– 27,4 % : la pauvreté (25,87 % en 2001).

• Enquête régulière CSA/CGT-Union régionale d'Île-de-France (URIF), publiée par *Le Nouvel Observateur* Paris Île-de-France du 14 mars 2002.

– Quels sont, selon vous, les principaux problèmes, ceux dont il faudrait s'occuper en priorité en Île-de-France ?

Problème	2002	1999	Évolution
1 / La sécurité	70 %	52 %	+ 18 %
2 / La drogue	34 %		
3 / L'emploi	32 %	48 %	– 16 %
4 / L'éducation	31 %	33 %	– 2 %
5 / Les transports	31 %	34 %	– 3 %
6 / L'environnement	29 %	34 %	– 5 %

Enfin, dès la fin de la décennie 1990, la dimension ethnique des violences urbaines recommençait à provoquer des crispations de nature clairement xénophobe[1] : dans un sondage réalisé à la fin de l'année 1999, 52 % des Français considéraient que « l'immigration est la principale cause de l'insécurité ». Une tendance confirmée au premier tour de l'élection présidentielle, en avril 2002.

Aggravation des violences urbaines elles-mêmes – donc données chiffrées nouvelles, comme on le verra ci-après. Réactions violentes des électeurs et de l'opinion, tant face au phénomène que devant les remous politiques – et désormais économiques[2] – qu'il provoque : nous avons entrepris de revoir et compléter ce « Que sais-je ? », qui s'efforce de présenter un dia-

1. Voir « Poussée raciste chez les Français », *Libération*, 16 mars 2000.
2. Voir dans le *Journal du Dimanche* du 7 avril 2002, sous le titre « Assurances : les primes s'envolent », cette constatation : « Les compagnies répercutent le prix croissant de l'insécurité », ou *Le Monde* du 10 janvier 2003 : « Les assureurs se défendent en mettant en cause une montée du vandalisme » (primes en hausse de 5 à 30 % en 2003).

gnostic précis et étayé des violences urbaines dans notre pays. Pour ce faire, nous nous sommes appuyés sur l'observation clinique de centaines de données vérifiées et minutieusement recoupées.

Certes, les chiffres – dont nous soulignons régulièrement le côté partiel, parcellaire et partial – n'expliquent pas tout. Mais ils révèlent des tendances fortes qu'on ne saurait ignorer, quoiqu'elles soient souvent noyées dans des agrégats tendancieux.

Ces données proviennent elles-mêmes de sources multiples : instances de prévention et de répression, ministères divers, centres de recherche universitaires, régions et municipalités, organisations syndicales (patronales ou de salariés), sociétés d'assurance, etc., se corrigeant et se complétant ainsi les unes les autres.

Chapitre I

CONSTAT

Commençons notre constat sur l'état des violences urbaines en France par deux questions préalables :

I. – Ces violences urbaines forment-elles une catégorie homogène ?

L'appellation « violences urbaines » est désormais classique. Est-elle cependant pertinente ? N'a-t-on pas fourré dans le même sac tout un ensemble de nuisances hétérogènes – équivalent statistique de ce que les géologues qualifient de « cône de déjection » ?

Il ne le semble pas. À l'étude, la catégorie apparaît bien comme cohérente, même si elle n'a toujours pas trouvé de dénomination pénale. Les actes commis relèvent tous d'une criminalité primitive souvent brutale et pas toujours organisée. Au niveau basique des violences urbaines, nulle sophistication mais une simple activité prédatrice ; nulle froideur calculatrice, mais une succession de bouffées de violence, de crises entrecoupées de périodes de passivité, voire d'abattement. Ces violences ont des auteurs à l'âge et aux références sociales définis ; elles se produisent enfin sur des territoires bien précis.

II. – Criminalité générale
et violences urbaines :
quel lien ?

En 2003, police et gendarmerie ont constaté en France 3 974 694 crimes et délits (67,92/1 000 habitants, en baisse de 3,38 %), toutes catégories confondues. Faut-il s'intéresser à cette criminalité générale dans un ouvrage dédié aux violences urbaines, qui ne provoquent qu'une part fort minoritaire de cet ensemble d'infractions ? Oui : car, depuis le milieu de la décennie 1990, les populations responsables des violences urbaines constituent en réalité le moteur de la criminalité générale, lui donnent son impulsion, lui impriment leur empreinte.

Sur le long terme, la criminalité évolue comme la société : depuis le XVIIIe siècle et du fait d'inventions successives, les attaques de diligence se sont-elles ainsi faites rares. Les détournements d'avions de ligne étaient-ils statistiquement négligeables avant l'invention de Clément Ader et d'Orville Wright ? Mais, autant que l'ingéniosité humaine, la nature des populations délinquantes affecte la sphère criminelle : c'est ce qui se passe aujourd'hui.

D'abord : pour tous ceux qui les approchent, les acteurs des violences urbaines sont le plus souvent des êtres frustres, déscolarisés, inactifs[1], hypernerveux, violents, plus portés sur les gadgets que sur le high-

1. Ce que confirme paradoxalement et à son corps défendant le très critique Laurent Mucchielli, dans « Les caractéristiques démographiques et sociales des meurtriers et leurs victimes », *Population,* 2004.

tech, attirés par les rapines faciles et s'agrégeant en bandes peu structurées. Et de fait, depuis plusieurs années, ce que ces acteurs des violences urbaines aiment faire – ou savent faire – augmente plus dans les statistiques criminelles que ce qui leur répugne ou dépasse leur ingéniosité.

• *Ce qui augmente le plus en 2003 :* les atteintes aux personnes en général (+ 7,3 %), les coups et blessures volontaires (+ 7,68 %), les atteintes aux mœurs (+ 7,31 %) et « autres atteintes volontaires contre les personnes » (+7,51 %)[1].

Dans le domaine du « business », augmentent les infractions faciles, ne nécessitant nulle connaissance technologique spéciale : recels (+ 8,13 %), usages frauduleux de cartes de crédit (+ 10,64 %). Les infractions à la législation sur les stupéfiants, certes liées à l'activité des services répressifs, ont augmenté de 16,05 %.

Malgré une baisse générale des vols de voitures (– 18,64 %)[2], progression confirmée des vols de véhicules à main armée, surtout des grosses cylindrées, dans des parkings, des rues calmes[3] ou encore directement chez les concessionnaires. « Les victimes sont arrachées de leurs sièges par des jeunes, le plus souvent à l'arrêt, à un feu rouge... Certaines sont dépossédées

---

1. Tendance confirmée au 1ᵉʳ trimestre 2004 : + 7,97 % pour les coups et blessures volontaires, + 22,09 % pour les atteintes aux mœurs.
2. Le taux de véhicules retrouvés n'a toutefois jamais été aussi bas en 2003 (72,16 %).
3. Toutes les marques et tous les modèles sont concernés, de même que les motos, scooters ou encore camping-cars !

Tableau I. – **Les crimes et délits contre les personnes.
Évolution 1992-2003 (tous services)***

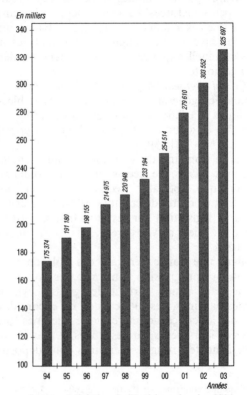

Source : Ministère de l'Intérieur, janvier 2004.

* Selon le nouvel indicateur mis en place par l'observatoire
national de la délinquance (OND), prenant en compte toutes les
atteintes physiques, donnent un chiffre de 389 172 pour 2003.

sous la menace d'armes. »[1] Des automobilistes sont même séquestrés dans des caves par des bandes organisées, sous la garde de pitbulls ; on leur extorque les codes de leurs cartes de paiement et on ne les libère qu'après soustraction de leurs espèces dans des guichets automatiques.

Ainsi les violences urbaines ne sont-elles plus une nuisance subalterne, affectant seulement de lointaines banlieues où, hormis leurs habitants, nul n'aurait idée de se rendre ; mais sont-elles bien une composante essentielle – une « puissance configuratrice » – de notre criminalité générale nationale.

III. – À l'échelle nationale, l'évolution des violences urbaines selon les services officiels

1. **Pour la police nationale.** – Actes recensés : racket, coups et blessures, rixes, règlements de comptes, « dépouilles », vols avec violence, razzias visant les commerces, incendies de biens publics et privés, dont des véhicules, « rodéos » de voitures volées, violences à finalité criminelle liées aux bandes, violences collectives anti-policières, guet-apens visant tout représentant de l'autorité ou « intrus » dans la cité, représailles visant à instaurer la loi du silence, etc.

Depuis le début de la décennie 1990, les violences urbaines ont donc changé de nature. Anti-institutionnelles au début de la décennie 1990, elles deviennent purement criminelles à la fin de celle-ci.

1. Note de la DCRG, *Villes et banlieues,* juin 1999.

- Départements les plus touchés par les violences urbaines[1] :

2002	2001	2000
Seine-Saint-Denis	Seine-Saint-Denis	Nord
Nord	Seine-Maritime	Essonne
Yvelines	Rhône	Rhône
Seine-Maritime	Essonne	Essonne
Bas-Rhin	Val-d'Oise	Seine-Maritime

- Grandes agglomérations les plus touchées, en actes recensés :

2002	2001	2000
Paris et banlieue	Paris et banlieue	Strasbourg
Strasbourg	Toulouse	Marseille
Lyon	Marseille	Lille
Marseille	Strasbourg	Lyon
Toulouse	Nice	Nîmes

- Quartiers touchés par les violences urbaines (en quantité)[2] :

– 1999 : quartiers « touchés » par les violences urbaines : 818 ;

1. En 2003, les services du ministère de l'Intérieur évaluent à 30 le nombre de « départements particulièrement touchés » sans autre précision.
2. « Profond malaise des habitants... Ceux-ci ont souvent tendance à se replier sur eux-mêmes ou à déménager, après une première phase de pétitions et de réunions. »

- 2000 : quartiers « les plus touchés » (nuance...) par les violences urbaines : 820 ;
- 2001 : quartiers touchés par les violences urbaines : 734 ;
- 2002 : 619 ;
- 2003 : quartiers « sensibles » (nouvelle nuance...) : 615, dont 150 « vraiment difficiles »[1].

• Morts violentes du fait des violences urbaines :

Origine des décès	2003	2002	2001	2000
Affrontements entre bandes (armes blanches ou à feu)	17	19	27	18
Agressions fortuites	5	5	3	7
Confrontations avec la police	3	5	9	4
Conduites à risque (rodéos, etc.)	10 ([1])	6	6	4
Total	35	35	45	33

([1]) Dont six dans des incendies criminels.

• La drogue dans les quartiers touchés par les violences urbaines (en 2002) :

- consommation banalisée de cannabis : 619 quartiers (194 en 2001) ;
- lieux d'approvisionnement pour héroïnomanes : 278 quartiers (116 en 2001).

1. Où les services publics et les entreprises ont des difficultés pour travailler (les taxis refusent d'y pénétrer, les médecins n'y viennent plus la nuit, les entreprises y majorent les devis...).

2. **Pour la gendarmerie nationale.** – En 2003, 14 086 actes de violences urbaines ont été recensés dans la zone gendarmerie nationale (ZGN), soit 5,96 % de moins qu'en 2002 (14 980 actes). Rappelons que 7 108 actes avaient été comptés en 2000, 4 287 en 1999 et 617 en 1997.

• Départements les plus touchés par les violences urbaines, en ZGN, durant l'année 2003 : Isère - Oise - Essonne - Haut-Rhin - Nord - Seine-et-Marne - Haute-Garonne. Seuls deux départements ont été complètement épargnés par ces violences en 2003 : les Hautes-Pyrénées et le Cantal...

• Villes de la ZGN les plus touchées par les violences urbaines, en 2003 : Méru (Oise), Rillieux-la-Pape (Rhône), Jouy-le-Moutier (Val-d'Oise), Vitry-le-François (Marne), Uckange (Moselle), Moissac (Tarn-et-Garonne), Villefontaine (Isère), Béthoncourt (Doubs).

• Typologie des violences urbaines pour 2003 :

– violences contre les forces de l'ordre : – 12,24 % ;
– violences dans les transports : – 5 % ;
– violences scolaires : – 3 % ;
– violences contre des commerces : + 3,5 % ;
– violences contre les biens : – 7,92 %
   dont incendies de véhicules : – 13,17 % ;
– violences contre les personnes : + 10,21 %.

3. **Les atteintes aux fonctionnaires, aux matériels et locaux de police, selon le syndicat UNSA-Police.** – Dans le tableau ci-dessous, « agressions contre des policiers », « locaux attaqués » et « véhicules endommagés » concernent tout spécialement les manifesta-

tions de violences urbaines. Ainsi, de 1999 à 2001 (derniers chiffres détaillés connus), il y aurait eu :

Crimes et infractions	1999	2000	2001
Policiers tués en service	4	1	8
Policiers blessés en service	502	770	895
Agressions contre des policiers	2 300	2 820	3 455
Locaux de police dégradés ou attaqués	250	220	312
Véhicules de police endommagés ou détruits	470	348	480

En 2003, les « violences à dépositaires de l'autorité » recensées étaient de 20 318 (+ 2,93 % par rapport à 2002).

IV. – **Les violences urbaines en Île-de-France**[1]

Pour l'année 2003, la criminalité et la délinquance constatées dans la région ont diminué de 3,36 % (– 1,23 % en 2002). Cette région représente en 2003 25,71 % de l'ensemble des infractions constatées en France. Au sein de la région :

– Paris représente 27,45 % des infractions régionales ;
– petite couronne : 34,76 % des infractions régionales ;
– grande couronne : 37,80 % des infractions régionales.

1. Sources : Ministère de l'Intérieur, préfecture de police de Paris, préfectures de la région Île-de-France.

Pour Paris *intra-muros,* on constate une baisse de 7,4 % par rapport à 2002 (de 300 152 faits constatés à 277 833) : – 26 % pour les VAMA, – 9,9 % pour les vols avec violences, – 22,8 % pour les vols d'automobiles mais + 7,3 % pour les violences volontaires (+ 10,6 % par rapport à 2001). La part des mineurs dans les mis en cause est en hausse de 3,1 %[1].

L'extension des violences urbaines à la troisième couronne parisienne (Eure, Eure-et-Loir, Loiret, Cher, Oise, une partie de l'Yonne)[2] s'est confirmée en 2003. On observe, notamment dans ces départements, une augmentation importante des incendies criminels, ainsi que de l'usage des armes à feu et des armes de guerre. Forte augmentation, enfin, des faits graves de barbarie (torture, viols collectifs). En revanche, le phénomène « pitbulls » régresse.

V. – Violences urbaines réelles : chronologie sommaire sur le premier semestre 2004

« Brèves » ou grands titres, les violences urbaines figurent quotidiennement dans la presse, nationale ou locale. Mais leur litanie passe et marque peu la mémoire. Toujours les mêmes cités chaudes, toujours les mêmes actes : émeutes, incendies, accrochages avec les forces de l'ordre, meurtres dans les guerres de gangs.

1. Exemple : une personne sur trois interpellée pour vol avec violence à Paris est mineure.
2. Voir à ce propos *Le Figaro* du 23 août 2001, « La région parisienne s'offre une troisième couronne ».

Insensiblement aussi, le vocabulaire s'adapte et évolue : jamais la France n'aurait de gangs « à l'américaine », souvenez-vous ? (« Le Val-Fourré n'est pas Chicago »...). Puis les méfaits de ces gangs ont timidement colonisé les « brèves » des quotidiens. Et, désormais, éclatent en grands titres des « guerres de gangs » fort semblables à celles des métropoles nord-américaines, avec – même – de mortels et analogues « drive-by shootings ».

De même la nature ethnique des rivalités au sein des quartiers chauds fut-elle longtemps tue, jus-qu'à ce que la virulence des affrontements entre « jeunes » de communautés bien identifiées (Maghré-bins contre Africains, par exemple ; voir plus bas) ne soit plus niable. C'est alors que le mot « ghetto » (dans son sens américain) est apparu dans notre presse. Ce d'autant plus que la communautarisa-tion des violences permet de constater, malgré les réticences de la recherche officielle, que les princi-pales victimes ressemblent aux auteurs. Les violen-ces urbaines sont devenues une autre injustice so-ciale touchant au premier chef les pauvres et les immigrés.

Dans ce brouillard médiatique, les lignes de force apparaissent mal. C'est pourquoi il nous a semblé utile de montrer la réalité de ces violences, atteignant parfois le niveau insurrectionnel, dans une chrono-logie du premier semestre 2004.

• *1ᵉʳ janvier*

Une bombe artisanale a soufflé les vitres de la MJC d'un quartier sensible de Mulhouse (et jusqu'à 200 m à la ronde). Cette MJC est fermée depuis avril 2003 suite à des « incidents » entre jeunes et éducateurs.

• *25 janvier*

Des coups de feu ont lieu à Paris entre les bandes de la cité de la rue Raymond-Losserand et celle du boulevard Brune (14e arrondissement). La police parvient à interpeller deux personnes, armées d'un pistolet automatique. Un blessé, déposé devant un hôpital proche, préfère s'enfuir avant l'arrivée des forces de l'ordre en abandonnant un pistolet à balles en caoutchouc et deux cartouches.

• *1er février*

Deux bandes rivales s'affrontent aux urgences de l'hôpital de Besançon avec scalpels, perfusions et extincteurs. L'intervention d'une trentaine de policiers et gendarmes permet de mettre fin à l'affrontement et d'interpeller six personnes, dont un mineur.

• *13 et 14 mars*

Lors d'une patrouille, une voiture de la BAC tombe dans un guet-apens dans la cité de Grigny 2 : parpaings et barres de fer sont projetés contre le véhicule et des coups de feu auraient été tirés. Deux interpellations ont eu lieu, provoquant de nouvelles attaques contre les forces de l'ordre et le caillassage ou l'incendie de plusieurs véhicules. Ces « incidents » ont eu lieu après la mort dans un accident de deux jeunes de Grigny ayant voulu se soustraire à un contrôle de police.

• *18 mars*

Un habitant du quartier de Neuhof (Strasbourg) est grièvement blessé par la police alors qu'il tentait de prendre la fuite. Cette nouvelle provoque une flambée de violences pendant deux jours dans les quartiers de Neuhof et de Cronenbourg : 16 voitures incendiées, 3 véhicules de pompiers caillassés, jets de pierres et de cocktails Molotov contre les forces de l'ordre, feux de caves et de poubelles...

• *31 mars*

L'intervention de la police sur une bagarre entre bandes rivales (Maghrébins contre Africains) provoque de violents incidents à La Fontaine-d'Ouche (quartier sensible de Dijon). Au moins quatre coups de feu ont été tirés en direction des forces de l'ordre.

• *7 avril*

Lors d'un affrontement entre bandes à la cité de l'île Marante (Colombes, Hauts-de-Seine), un jeune de 18 ans est mortellement blessé par balles. La police penche pour un litige sur une transaction de cannabis. Plusieurs affrontements, non signalés à la police, avaient déjà eu lieu les semaines précédentes.

• *11 avril*

Lors d'une fête créole à Conflans-Sainte-Honorine (Yvelines), un jeune de 21 ans, originaire de Chanteloup, est abattu de plusieurs balles de 22 LR. Ce meurtre intervient durant une bagarre générale opposant, à coups de poing, de bâton, de machette et de pierres, « ceux de Chanteloup » à « ceux du Val-d'Oise ». Plusieurs autres jeunes ont été blessés.

• *27 avril*

Osman, 22 ans, connu pour diverses affaires dont trafic de drogue, est abattu devant son immeuble d'Épinay-sur-Seine. Il était connu pour vendre de la drogue à la cité des Franc-Moisin à Saint-Denis.

• *1er mai*

Intervenant sur une bagarre entre deux personnes dans le quartier de La Plaine-Dauzon à Châtellerault (Vienne), six policiers sont violemment pris à partie par des jeunes. Les pneus de leurs véhicules sont également crevés. Deux interpellations.

• *18 juin*

La 11e édition de la « Fête du Panier » (un quartier de Marseille) est annulée par le conseil général des Bouches-du-Rhône. Les techniciens étaient en grève suite à diverses agressions et menaces de « bandes de jeunes ». En 2002, aucun incident n'avait été relevé, la sécurité de la fête ayant été assurée par ces jeunes.

VI. – **Violences urbaines : confirmations et aggravations**

• *Territoires 1 : les plus pauvres, victimes désignées*

En France, les « quartiers d'habitat social » comptent près de 10 millions d'habitants. On dénombrait ainsi, en 2002, 4,2 millions de logements sociaux. Publié le 12 février 2002 sous la direction de M. Didier Peyrat (un magistrat), une très réaliste étude intitulée « Habiter-cohabiter, la sécurité dans le logement social » est venue jeter un éclairage cru sur les conditions de vie des habitants de ces quartiers et de ces logements. Ce rapport précise d'abord qu'un quart des habitants du parc social (soit aux environs de 2,5 millions de personnes) vit dans des quartiers ou cités « où la qualité de vie semble avoir été détruite par l'insécurité ».

– On apprend également que, dans ces quartiers, la plupart des infractions sont commises par des noyaux durs de malfaiteurs hyperactifs. Gardiens d'immeubles, experts des sociétés HLM, policiers, élus de terrain, travailleurs sociaux et responsables associatifs, tous sont unanimes : « Une petite minorité de jeunes sont les auteurs d'une très grande partie des actes déclarés » (en outre, 74 % des résidents HLM interrogés pour le sondage IPSOS contenu dans l'étude font cette réponse).

– Et que cette insécurité inquiète tout particulièrement les jeunes habitants (15-24 ans) de ces quartiers : pour 15 % d'entre eux, l'insécurité est même « la préoccupation n° 1 ». Et 68 % des 15-19 ans ayant répondu que l'insécurité les inquiétait « un peu » ou « beaucoup » « redoutent une agression physique avec arme » (sondage SOFRES contenu dans l'étude).

– Surtout, que « les plus démunis sont les plus volés » : 30 % des habitants du parc social ont ainsi été « victimes d'une attaque visant leurs biens au cours des douze derniers mois » (sondage IPSOS), contre

24 % des résidents non-HLM. Le « vandalisme sur ses biens personnels » touchant, lui, 23 % des occupants des logements sociaux, contre 17 % de la population générale.

- *Territoires 2 : le front*
  des transports publics

En janvier 2002, la revue *Transports publics* a publié une enquête du cabinet Citysafe sur l'insécurité dans cette branche professionnelle (méfaits divers, vandalisme, comportements menaçants ou asociaux, etc.). Sur le panel de voyageurs interrogé :

- 20 % avaient été les témoins d'agressions physiques ;
- 40 % avaient peur d'être victimes d'un vol ;
- 30 % avaient peur d'être agressés, verbalement ou même physiquement.

Des craintes qui ne sont pas infondées, quand on voit la gravité d'actes contre les transports publics. Comme par exemple l'assaut (le 30 mars 2002, à Viry-Chatillon, Essonne) d'un autobus par une dizaine de malfaiteurs encagoulés, très jeunes selon les témoins (15 ans au plus). Issue de la cité de La Grande Borne, la bande chasse les voyageurs et le conducteur du bus, puis l'incendie complètement. Pourquoi ? Mystère. Un acte, en tout cas, qui n'est pas isolé, un rapport confidentiel de la RATP, révélé dans *Le Parisien* du 12 février 2002, soulignant « la recrudescence des jets de projectiles et les regroupements de bandes non maîtrisables ».

Et, de fait, l'insécurité s'est encore accrue en 2003 sur le « front des transports publics ».

En province d'abord, comme le montre le rapport annuel (publié en juin 2004) de l'Union des transports publics (UTP)[1], qui précise :

– Que 30,6 % des agressions se produisent dans des « quartiers sensibles » (28,4 % en 2002).

– Que les agresseurs identifiés sont toujours plus jeunes. En 2000, les moins de 16 ans représentaient 6,5 % du total ; en 2002, ils sont 15,6 % et, en 2003, 14,1 % de l'ensemble des malfaiteurs connus.

– Qu'en 2003 les agressions visant les personnels (3 280) ont au total augmenté de 2,5 % par rapport à 2002 (3 201), 90 % de ces agressés étant des conducteurs ou des contrôleurs. Les agressions sur les voyageurs (signalées aux entreprises) ont également augmenté de 5,6 % entre 2002 et 2003 (2 766 cas).

– Que les agressions suivies d'un arrêt de travail ont, elles, diminué de 11,2 % (augmentation de 14,2 % depuis 1997).

– Que la durée des arrêts de travail faisant suite aux agressions (38 275 jours d'arrêt de travail, ou JAT[2]) a diminué en 2003 : – 3,6 % (mais le nombre de JAT par agression est en augmentation de 8,5 % par rapport en 2002, soit 45,9 JAT). En sept ans, le nombre moyen

1. L'UTP regroupe la plupart des sociétés de sa branche, sauf la SNCF et la RATP, du fait du statut spécial des salariés de ces entreprises publiques. 90 % de la profession (soit 37 000 salariés) a répondu au questionnaire sur la base duquel a été réalisé le « Rapport de branche sur l'état de la sécurité dans les entreprises de transports urbains en 2003 » de l'UTP.
2. Soit une perte de plus de 5,8 millions d'euros pour les entreprises.

de JAT par agression a augmenté de 130 %. Pour l'UTP enfin, les JAT consécutives à une agression représentent 25,4 % de l'ensemble des JAT dus à des accidents de travail.

En région parisienne, la situation n'est pas meilleure. En témoigne un contrôleur de la RATP, Joël O..., syndicaliste à la CFDT et, selon CFDT-*Magazine* (mars 2001), « déjà agressé deux fois » : « Dès qu'on sort de Paris, on n'a plus la maîtrise du territoire... À Marne-la-Vallée, le samedi soir, c'est très chaud. » Il voit régulièrement des bandes qui sous ses yeux comptent le butin qu'elles viennent de rafler sur des voyageurs. Dans les gares, les agents sont insultés, invectivés, intimidés. « Certains nous filment avec des caméscopes volés » ajoute-t-il. Le ministère de l'Intérieur a réagi à cet état de fait en renforçant le Service régional de police des transports (1 300 policiers à terme). Les services de la préfecture de police ont constaté une baisse de 17,4 % de la délinquance dans les transports ferrés parisiens (32 241 faits en 2002 à 26 621 en 2003). La plus forte baisse concerne les vols à la tire : de 19 118 faits à 14 465 (– 24,3 %). D'autres infractions sont également en baisse : vols avec effraction (– 34,6 %) ; violences volontaires (– 2,6 %) ; autres infractions dont vols simples (– 9,1 %). Seuls les vols avec violence sont en augmentation de 1,5 %.

Les chiffres de la délinquance dans les transports en commun franciliens en mars 2004 (par rapport au même mois de 2003) illustrent également une baisse importante (6 %) des vols sans violences (représentant plus de 55 % de l'ensemble de la délinquance), des vols

à la tire (16,45 %) et des vols avec violence (– 1,55 %).
Les vols simples augmentent par contre de 6,9 % ainsi
que les violences volontaires (+ 29,9 %). L'évolution
des atteintes au personnel varie selon le transporteur :
+ 31,4 % de violences et + 51,2 % d'outrages pour les
agents RATP ; violences stables et outrages en baisse de
24,5 % pour les agents SNCF.

Géographiquement (et toujours pour le mois de
mars 2004), la part de Paris *intra-muros* est en baisse
et se situe autour de 53 % (baisse globale de 6,3 %).
Cette baisse ne concerne en fait que les vols à la tire
(– 16,3 %) puis les autres faits augmentent : vols simples, + 5 % ; vols avec violences, + 3,7 % ; violences
volontaires, + 93,3 % ; violences, contre employés,
+ 13,9 %. Le reste des départements de la région
connaît des évolutions différentes : + 53 % pour la
Seine-et-Marne (dont + 29,6 % pour les atteintes
contre les personnes) ; + 29 % des atteintes contre les
particuliers dans les Hauts-de-Seine ; stabilité générale
en Essonne mais + 26 % pour les vols avec violences ;
– 28,4 % pour la Seine-Saint-Denis (dont – 28,4 %
pour les vols avec violences) ; – 28 % pour les Yvelines
(– 34,3 % pour les atteintes contre les personnes) ; la
délinquance révélée par les services de police explose
dans le Val-de-Marne (+ 200 %) et dans le Val-d'Oise
(+ 50 %).

Les lignes « sensibles » sont clairement identifiées :
lignes 6 (Nation-Bercy) et 9 (Mairie de Montreuil -
Nation) ; lignes 7, 12 et 13 (stations Aubervilliers, Ca-
det et Max Dormoy) ; ligne 2 (secteur de Ménilmon-
tant - Père Lachaise et station Château d'Eau) ; RER B
(Gare d'Antony) ; RER A (Châtelet-Les Halles) ;

RER D (secteurs de Villeneuve, Corbeil et Melun). La quasi-totalité des gares de Seine-Saint-Denis sont également considérées comme « sensibles ».

Les chiffres ci-dessus sont ceux de la délinquance connue par les transporteurs. Reste la fraude « premier déclencheur de la violence, dès que les jeunes découvrent que l'éducation civique inculquée à l'école n'a plus de sens dans ce grand jeu où ce sont leurs grands frères qui fixent les lois »[1]. Pour la fraude, donc, Jean-Paul Gourévitch (*op. cit.*) souligne que « le contrôle et l'observation selon les propres déclarations des responsables de la RATP ont été quasiment abandonnés sur les lignes à risque (comme d'ailleurs sur certaines lignes de la SNCF) aux heures de pointe où de toute façon observateurs et contrôleurs ne pourraient pénétrer vue l'affluence, et le week-end où il n'y a pas suffisamment de personnel. » J.-P. Gourévitch ajoute enfin que « le taux de recouvrement des amendes non réglées immédiatement est dérisoire (entre 3 et 17 % selon le mode de calcul choisi). Une fois encore, on constate ainsi que le réel *connu* n'est qu'un pâle reflet du réel *vécu.*

• *Territoires 3 : le front de l'école*

Signalons d'abord un important virage réaliste dans les sphères supérieures du ministère de l'Éducation nationale, depuis toujours gagnées au « tout-social »

---

1. Voir à ce sujet « Désinformation à la RATP » de Jean-Paul Gourévitch, dans *Panoramiques,* printemps 2002, « La désinformation : tous coupables ? ».

et à la « culture de l'excuse ». Dans *Le Monde de l'Éducation* d'avril 2002, on peut en effet lire ceci : « J'ai longtemps trouvé choquant de dire qu'un élève agressif en maternelle allait forcément donner de gros soucis au collège, reconnaît Sonia Heinrich [présidente du Comité national de lutte contre la violence scolaire]. Le concept de "carrière délinquante" emprunté aux criminologues[1] et bien ancré aux États-Unis n'avait pas bonne presse en France. C'est terminé. » « La recherche doit maintenant se concentrer sur la construction de ces carrières », ajoute désormais le sociologue Éric Debarbieux.

De façon caractéristique, les citations ci-dessus sont extraites d'un article intitulé « La violence s'immisce dans le primaire », le système français d'enseignement vivant la même situation que la société française en général : à force d'inaction, la criminalité atteint sa phase de généralisation : là où elle existait, elle tend à s'aggraver ; là ou elle était absente, elle fait son apparition. Ici, dans les écoles primaires et d'abord celles situées en ZEP (zones d'éducation prioritaires). Pour illustrer son propos, l'article du *Monde de l'Éducation* cite un sondage sur les formes de violences auxquelles ces écoliers sont confrontés :

– dans 73,3 % des cas : bagarres ;
– 16 % des cas : injures ;
– 1,8 % des cas : racket.

---

1. Cela fait près de vingt ans que la criminologie expérimentale moderne a forgé le concept de « carrière criminelle » (et non délinquante : les mots ont un sens) ; voir notamment Xavier Raufer, *Le cimetière des utopies,* Pauvert-Suger, 1985.

Peu auparavant, de son côté, M. Jean-Charles Ringard, inspecteur d'académie en Seine-Saint-Denis signalait dans le primaire « de plus en plus d'agressions physiques entre élèves, mais aussi envers les adultes ».

Dans les lycées et collèges, où les phénomènes de violence et de délinquance ont beaucoup augmenté, la situation est plus contrastée, avec des dissonances marquées entre ce que constatent, d'une part, le ministère de l'Éducation, et de l'autre, la section spécialisée des Renseignements généraux.

Le ministère de l'Éducation a recensé ± 76 000 « actes graves » de violence dans les collèges et lycées durant l'année scolaire 2002-2003 (en baisse de 11,4 %). Il s'agit à 29 % de violences physiques sans arme, 23 % d'insultes ou de menaces graves, 11 % de vols ou tentatives de vols et enfin 2,2 % de violence avec arme (1 581 faits). 80 % des auteurs sont des élèves (6 % viennent de l'extérieur), qui représentent également la moitié des victimes (25 % des membres du personnel et 20 % sont des actes visant les locaux, dont 409 incendies criminels). Ces chiffres sont complétés par la première enquête de victimation menée en milieu scolaire[1]. Ainsi, on y apprend que 72 % des collégiens se disent victimes d'insultes, 45 % de vols, 23,9 % de coups, 16,1 % de racisme et 6,1 % de racket. Ces chiffres recouvrent des réalités différentes : 5,3 % d'élèves des établissements classiques en sont victimes mais ce

1. Menée par Éric Debarbieux (directeur de l'Observatoire de la violence scolaire) sur 30 405 élèves de CM1/CM2 et collèges de 1995 à 2003.

chiffre monte à 7,6 % pour les collèges situés en ZEP et à 8,7 % dans les collèges sensibles. Par ailleurs, les collégiens « survictimés » (agressions à répétition) sont 16,3 % dans les établissements situés en ZEP mais 11 % dans les collèges situés en dehors de ces zones. Les cas de violences sont en baisse depuis 1995 mais la gravité de ces faits est en augmentation ; ainsi, le sentiment d'insécurité est lui-même en hausse (21,2 % chez les collégiens).

Sur la période septembre 2003 - avril 2004, les signalements d'actes de violence (71 116 faits) ont augmenté de plus de 9,3 % par rapport à la même période de l'année précédente (11,6 incidents signalés par établissement). Sur la période mars-avril 2004, les signalements d'actes de violence (+ 5 % par rapport à mars-avril 2003) concernent en premier lieu des violences physiques sans arme (+ 15 %), les violences physiques à caractère sexuel (+ 20 %) et les affaires de stupéfiants (+ 20 %). Les actes de violence sont concentrés dans certains établissements : 25 % des établissements signalent 60 % des faits et 10 % en signalent 35 %. Néanmoins, le phénomène s'étend, puisque 250 établissements de plus ont signalé des incidents en mars-avril 2004 (par rapport à la même période en 2003).

Des actes fort graves continuent fréquemment d'être signalés dans les établissements d'enseignement des quartiers chauds : jets de cocktails Molotov[1] ou d'acide[2] ; voiture-bélier incendiaire en janvier 2002

---

1. En février 2002 : lycée professionnel Alfred-Costes à Bobigny (93), collège Louis-Pasteur à Créteil (94).
2. En janvier 2003 : collège André-Malraux de Compiègne.

(dans le hall du collège Pablo-Picasso de Saint-Étienne-du-Rouvray (76)), ou en mars 2003 à Orléans ; enseignante poignardée en plein cours à La Garenne-Colombes (92) en janvier 2003 ; proviseur poignardé à Marmande (Lot-et-Garonne) en janvier 2002 ; le même mois, incendie de quatre voitures (dont celle du proviseur) sur le parking du lycée Georges-Duméril à Vernon (Eure) ; tentative d'incendie volontaire en février 2003 à Ris-Orangis (78) ; passage à tabac « commandité » d'un professeur de collège d'Aulnay-sous-Bois en juin 2003 ; meurtre du principal d'un collège de La Ciotat (13) en septembre 2003. Plus les actes habituels : agressions sexuelles (1 070 affaires en 2002-2003) ; bagarres – parfois armées – de bandes rivales et *deal* ou trafics divers (671 affaires de stupéfiants) ; le tout devant l'établissement, voire à l'intérieur de celui-ci, parfois même dans les classes, pendant les cours.

Un rapport de la DCRG souligne « l'usage de plus en plus fréquent d'armes dans l'enceinte des établissements. Les armes à feu restent rares, mais les armes blanches semblent proliférer de manière préoccupante ». Le rapport annonce aussi « le développement des affrontements entre bandes..., des intrusions d'éléments extérieurs [dans les établissements]..., des expéditions punitives ».

• *Populations 1 : la criminalité des mineurs*

Une fois encore, ce que nous soulignons depuis la première édition de ce livre (printemps 1998) ne peut qu'être confirmé ; la délinquance et la criminalité violentes sont pour beaucoup le fait de mineurs. Toutefois, l'année 2003 a connu une légère baisse en matière d'implication des mineurs (179 762 personnes, – 0,34 % par rapport à 2002). En matière de « délinquance de voie publique », la part des mineurs est passée de 35,03 % en 2002 à 34,43 % en 2003.

Au niveau judiciaire maintenant. En 1995, 16 % des mis en cause (toutes infractions confondues) étaient mineurs ; en 2003, ils sont 18,8 % (contre 21,3 % en 1999) ; ce chiffre monte à 34,4 % pour les faits de délinquance de voie publique. En 1995, la cour d'assises des mineurs rendait 224 arrêts, dont 50 concernaient des malfaiteurs de 13 à 16 ans ; en 1999, cette cour a rendu 583 arrêts, dont 210 concernent les 13-16 ans (dernières données disponibles).

• *Infractions caractéristiques 1 :*
policiers, magistrats et pompiers pris pour cibles

Dans cette importante catégorie des violences urbaines, l'année 2003 a vu se poursuivre les attaques de postes et commissariats de police[1], d'abord dans les « zones de non-droit » et le plus souvent du fait de bandes prédatrices : guet-apens anti-policiers (jets d'objets lourds ou de cocktails Molotov sur les véhicules, agressions, tirs visant les personnels, ou charges en voiture) ; enfin, les émeutes dans les tribunaux[2], du

1. Par exemple, le poste de police du quartier de L'Ousse-des-Bois (Pau) incendié par 15 à 30 jeunes en septembre 2003 ; la gendarmerie de Méru (Oise) attaquée à coups de pierres et de cocktails Molotov par 50 jeunes en décembre 2003 ; le poste de police de Chatou, objet d'une tentative d'incendie en janvier 2004.
2. Par exemple : Angoulême en mai 2003 et Bobigny (93) en mars 2002.

fait des clans familiaux des prévenus ou condamnés, ou de leurs complices (bandes, etc.).

De leur côté, les pompiers parisiens[1] signalent une évolution en forte baisse mais restant préoccupante : 66 agressions en 1999 (pierres, cocktails Molotov et même tirs de fusil) ; 67 attaques en 2000 ; 99 en 2001 ; 76 en 2002 et 41 en 2003[2].

Les polices municipales ne sont pas épargnées non plus : en février 2002, celle de la ville d'Alès (Gard, 41 000 habitants) signalait avoir eu en 2001 neuf blessés par agression (coups et blessures, charge à moto, etc. – au total, 180 jours d'ITT), ce sur un effectif de 25 hommes.

En 2003, selon une enquête du Ministère de la Justice, il y a eu près de 13 500 « incidents » dans les 180 tribunaux français. Il s'agit pour moitié d'insultes et de menaces contre les magistrats et les policiers, d'agressions physiques (13%, essentiellement contre les policiers), d'intrusions dans les locaux interdits, de dégradations et de vols (10% chacun). Dans certains procès concernant des bandes, des « comités de soutien » aux prévenus affrontent les forces de l'ordre dans la salle des pas perdus. Couteaux, cutters, lames de rasoir ou seringues sont régulièrement confisqués à l'entrée des tribunaux.

---

1. En 2004, la brigade des pompiers de Paris compte 8 435 hommes. Elle couvre la ville de Paris et la petite couronne (92-93-94). Elle a effectué, en 2003, 428 000 interventions.
2. En juillet 2003, intervenant sur une voiture incendiée, des pompiers lillois découvrent que le véhicule est relié à une borne EDF. Les incendiaires voulaient ainsi électrocuter les pompiers.

• *Infractions caractéristiques 2 :*
  les incendies de véhicules

Les services de police et de gendarmerie ont comptabilisé 21 600 voitures brûlées en 2003, contre 24 200 en 2002 (il y en avait ± 7 000 par an dans la décennie 1980). Le phénomène est en augmentation en zone gendarmerie : 650 voitures incendiées en 1998, plus de 3 000 en 2003.

Dans le Rhône, il y a eu 30 % de véhicules incendiés en plus en 2001, le département passant pour la première fois le seuil des 2 000.

En région parisienne et lors du nouvel an 2002, plus de 250 voitures ont brûlé en cinq jours, dont 79 dans les Yvelines et 60 en Seine-Saint-Denis. Pour la seule nuit de la Saint-Sylvestre 2003, il y a eu 152 véhicules incendiés en Île-de-France (324 sur toute la France, – 15 % par rapport à 2002) dont 47 en Seine-Saint-Denis (essentiellement sur Drancy, La Courneuve, Aulnay-sous-Bois, Le Blanc-Mesnil et Noisy-le-Grand) et 39 dans les Yvelines (Trappes, Les Mureaux et Mantes-la-Jolie).

En dehors de la région parisienne, c'est Strasbourg qui est la plus touchée avec 1 708 voitures incendiées en 2002 (contre 1 718 en 2001). Dans l'ensemble du Bas-Rhin, le nombre de véhicules incendiés est en augmentation de 9,46 % entre 2001 et 2002 (doublement par rapport à 1999). Lors de la nuit du 31 décembre 2003, 34 véhicules ont été incendiés dans le Bas-Rhin (12 de plus qu'en 2002).

Même dans la fort paisible cité du Puy-en-Velay, 8 voitures ont été incendiées en un seul week-end de janvier 2002.

VII. – **Violences urbaines :**
les nouvelles tendances

• *Ghettos... et milices de ghettos*

Pendant plus de vingt ans, le mot « ghetto », pris ici dans son sens américain de « quartier de relégation peuplé de minorités ethniques plus ou moins homogènes », a été tabou en France. La chose était impossible chez nous, point final. Mais bien sûr, comme l'a si fortement exprimé le philosophe Clément Rosset, « la réalité est à la fois insupportable et irrémédiable ». Si bien que, en un classique effet de politique de Gribouille, ceux qui niaient la possibilité même de l'existence de ghettos dans notre pays ont en réalité permis leur installation.

C'est ainsi qu'entre avril et mai 2002 on a pu apprendre qu'à Évry (Essonne), dans le quartier des Pyramides, une centaine de jeunes malfaiteurs d'origine africaine (dénoncés comme racketteurs) se sont battus avec autant d'adultes d'origine turque (dont les familles se disaient rackettées). Les combattants avaient des armes blanches et à feu. Peu après Oyonnax (Ain) a été le théâtre d'un autre « affrontement communautaire » – retenons l'expression, dont les médias useront sans doute pour qualifier ces guerres (de gangs, ou tribales).

Un rapport de la DCRG de mai 2004 estime que plus de 300 quartiers connaissent un repli communautaire[1]

1. Critères pris en compte : nombre important de familles d'origine immigrée, pratiquant parfois la polygamie ; tissu associatif communautaire ; commerces ethniques ; multiplication des lieux de culte musulman ; port d'habits orientaux ou religieux ; graffitis

(sur les 630 quartiers sensibles étudiés). Plus de 200 de ces quartiers connaissent également la présence de prêcheurs fondamentalistes. Les RG constatent également des demandes accrues de salles de prière au sein des entreprises ou la création de salles de prière clandestines (comme à Disneyland Paris). Ce repli communautaire débouche sur la création d'une identité négative composée de la culture d'origine, des « valeurs » des cités et de références rudimentaires à l'islam.

Et qui dit ghetto dit, bien sûr, milice de ghetto. La première d'entre elles s'est créée en septembre 2001 dans le grand ensemble Massy-Opéra (20 000 habitants, à l'est de Massy, Essonne). Là, 11 malfaiteurs de 14 à 19 ans, connus comme « bande de la Place-de-France », ont constitué une « brigade anti-flics ». Cela fait, ils ont, dans l'Essonne, multiplié les incendies de véhicules, de poubelles, les destructions d'abribus, les jets de pierre sur les véhicules de pompiers et de policiers, les agressions d'agents de la RATP au gaz lacrymogène. La « brigade anti-flics » a été démantelée le 11 avril 2002. Mais restera-t-elle un cas unique ?

• *Commerce et usage d'armes de guerre*

En 2001 (dernier chiffre connu), 8 500 armes à feu ont été saisies par les forces de police ; parmi celles-ci, 26 lance-roquettes antichar (LRAC) et 50 fusils d'assaut Kalachnikov. Signe de la multiplication de telles armes de guerre sur le marché clandestin français : l'effondrement de leur prix. Désormais un fusil

antisémites et anti-occidentaux ; classes regroupant des primoarrivants ne parlant pas français ; difficulté à maintenir une présence de Français de souche.

d'assaut peut se trouver à 150 € (500 € en 2000) et un LRAC à 1 500 € (4 000 € vers 1999). Toujours en 2001, 16 000 personnes ont été mises en cause en France, pour port ou détention d'arme illégal (± 14 000 en 1996). En 2002, les statistiques du ministère de l'Intérieur constatent une augmentation de 6,61 % des infractions à la législation sur les armes. En 2003, les Douanes ont traité 1 486 affaires (+ 10,8 %) concernant 11 691 armes (+ 310,5 %).

Là encore, l'arrivée massive d'armes de guerre, pour l'essentiel issues de l'ex-Yougoslavie (grenades à fragmentation M. 64, LRAC de modèle PGP M. 80 de 64 mm, etc.), a été nié. Le révélateur de l'armement des cités chaudes aura été l'affaire tragique survenue à Béziers (Hérault) en septembre 2002. Là, Safir Bghouia, un jeune « gangsterroriste » entame pour un motif obscur une course meurtrière de sept heures à bord d'un véhicule volé, tire au lance-roquettes sur un car de police (heureusement, le projectile n'explose pas) et tue d'une rafale de fusil d'assaut le chef de cabinet du maire de la ville, confondu avec un policier en civil. Abattu ensuite par une unité spéciale de la police, Bghouia, connu comme « petit malfaiteur, voleur de voitures et dealer », possédait en outre dans une planque un LRAC, deux fusils d'assaut, 30 chargeurs et des balles par centaines, 200 g de dynamite, 18 pains d'explosif type « plastic », des gilets pare-balles, etc.

Une surprise pour les forces de l'ordre de Béziers ? Non. Le lendemain du drame, le responsable syndical pour l'Hérault du Syndicat national des policiers en tenue déclarait : « Les policiers qui s'occupaient de la cité de La Devèze, où résidait Bghouia, avaient récemment révélé l'existence d'un trafic d'armes de guerre, confirmé par un rapport des renseignements généraux. Personne n'en a tenu compte. » Sans doute encore un effet de la difficile communication entre ceux d'en bas et ceux d'en haut... mais peu après la prise de conscience était faite. Ainsi le député Bruno Le Roux, l'un des experts socialistes en matière de sécurité, soulignait-il (dans *Le Nouvel Observateur* du 13 septembre 2001) que « le trafic d'armes lourdes est à l'évidence très souvent lié au trafic de drogue et au grand banditisme ». Pour sa part, le député maire socialiste d'Évry, Manuel Valls, dans une tribune publiée par *Libération* début 2004, appelait à un renforcement des contrôles et de l'action de la police.

Au fil des semaines, au moins trois « armureries clandestines » ont été démantelées dans des quartiers chauds : l'une (avril 2002), à Avignon (Vaucluse), alimentait les cités Monclar, La Barbière et La Croix-des-Oiseaux ; deux autres dans l'Essonne en mai 2002 : la première couvrait la zone Quincy-sous-Sénart - Sainte-Geneviève-des-Bois[1] ; la seconde était sise à Évry.

Aux catalogues de ces commerces illicites : Kalachnikovs, bien sûr, pistolets-mitrailleurs Skorpion, armes de poing le plus souvent issues des ex-pays de l'Est (CZ tchèques, etc.), mais aussi Colt ou Beretta, fusils à pompe[2] – même des stylos-pistolets tirant des

1. Outre des armes, du cannabis, de l'héroïne et de l'ecstasy sont saisis dans un appartement mis à disposition des jeunes en difficulté par une association.
2. Utiles pour tuer discrètement : les chevrotines qu'ils tirent ne laissent pas de signature balistique.

balles de 22 long rifle. Évidemment enfin, des munitions de tout calibre. Les « armuriers » eux-mêmes ? Un clan turc criminalisé (Avignon), un gangster « condamné à trois reprises aux assises pour des braquages violents » (Quincy-sous-Sénart) et « un braqueur récidiviste récemment sorti de prison » (Évry).

Outre les armes de guerre, les services de police s'inquiètent en 2004 de l'usage intensif d'armes de petit calibre (6,35 mm). Il s'agit de pistolets d'alarme refaçonnés dont le canon est modifié à chaque tir, rendant impossible tout historique balistique.

• *Trois nouveaux fronts*
  pour les prédateurs violents :
  les hôpitaux, les bureaux de poste,
  les « fast-foods »

– *Les hôpitaux :* hôpital, hospice – étymologiquement, des lieux où l'on vous accorde une entière hospitalité. Or, depuis les années 1990, les hôpitaux des grands centres tendent à devenir des cours des miracles, voire des champs de bataille. Entre avril et mai 2002, en effet, des gangs ont attaqué deux hôpitaux (Besançon, Toulon), arme de guerre au poing, pour y délivrer des complices blessés et gardés par des policiers.

Plus couramment, les hôpitaux sont dégradés (tags), servent de lieu de vente de stupéfiants, voire de scène pour des règlements de comptes entre bandes, au sein même de l'établissement. Fréquemment aussi, les personnels sont injuriés, agressés ou se font cracher dessus par des « patients » issus des quartiers « chauds » et connus pour leur impatience et leur agressivité.

Selon l'Assistance publique - Hôpitaux de Paris (AP-HP)[1], il y a eu, en 2003, 2 897 infractions sérieuses (2 447 en 2001), dont 2 432 vols (1 996 en 2001), 307 dégradations (318) et 158 agressions (133 en 2001). Plus généralement, AP-HP a recensé en 2003 14 000 expulsions de groupes ou d'individus introduits dans les établissements sans motif légitime (13 000 en 2001). Les services de sécurité sont ainsi intervenus sur appels du personnel soignant plus de 15 000 fois en 2003.

– *Les bureaux de poste :* nous classons normalement les vols à main armée (VMA) parmi les actes de crime organisé, et les mentionnons plutôt dans le « Que sais-je ? » portant ce titre[2]. Mais les « braquages » de bureaux de poste sont spéciaux : ils sont un peu le « certificat d'aptitude » à la « profession » de braqueur. Ces VMA-là sont typiques de jeunes malfaiteurs issus de bandes prédatrices tentant, à travers ce sas d'accès qu'est le braquage postal, d'accéder à la « première division » du crime : le grand banditisme.

Notons d'abord qu'il y a en France ± 17 000 bureaux de poste dont 1 300 situés en « zone urbaine sensible » ou ZUS, soit 7,6 % du total. Pour La Poste et dans sa définition même, ces ZUS sont des « quartiers concernés par la politique de la ville ».

Voyons maintenant la progression du nombre

---

1. L'AP-HP contrôle 39 établissements et 25 000 lits.
2. Xavier Raufer et Stéphane Quéré, *Le crime organisé*, PUF, « Que sais-je ? », n° 3538.

des VMA, et de la proportion de ceux-ci perpétrés
en ZUS :

Année	Total VMA	dont en ZUS	% du total
1998	411	75	18,2
1999	339	56	16,5
2000	301	58	19,3
2001	464	101	21,8
2002	510	112	22
2003	394	81	20,5

(Exclusif. Source : La Poste[1].)

– Les « fast-foods » : Longtemps les jeunes malfaiteurs coupables de la plupart des violences urbaines ont « respecté » les fast-foods, notamment les
« MacDo ». Pourquoi ? Ceux que nous rencontrons
nous expliquaient qu'à la télé (leur unique source
d'information) ils avaient appris que les gangs de
Los Angeles *(Crips, Bloods)*, dont la « culture » fas-
cine toutes les bandes juvéniles du monde, avaient
cette tradition là. On ne touche pas au MacDo,
point final. Oui mais voilà : en France, la tradition
semble tombée en désuétude. Les braquages de
« MacDo » (à 90 % par armes à feu) ont pratique-
ment doublé de 1999 à 2 000 (de 3,7 % de restaurants touchés à 7,11) avant de retomber légèrement
(6,85 et 6,95 % en 2001 et 2002). L'année 2003 a

1. La Poste va engager 143 millions d'euros sur 2003-2007 pour
améliorer la sûreté de ses établissements.

connu une baisse importante (4,4 % de restaurants touchés), mais le rythme semble reprendre au début de l'année 2004.

VIII. – Que fait-on
contre les violences urbaines ?

1. D'abord, connaît-on bien l'ampleur réelle des violences urbaines ? – Les outils de comptage de la police et de la gendarmerie sont mal adaptés aux violences urbaines. Des données provenant d'institutions non répressives permettent de le démontrer :

– Agressions dans la rue : durant la Fête de la Musique de l'été 1999, la police signale 10 blessés à Paris suite à des agressions[1]. Le chiffre est bas, tout va bien. Sauf qu'au même moment les services d'urgence de quatre hôpitaux du centre de Paris (Hôtel-Dieu, Saint-Antoine, Pitié-Salpêtrière, Saint-Louis) disent avoir soigné 93 personnes agressées. Le chiffre de 10 correspond en réalité aux dépôts de plainte pour agression : on constate donc ici un « chiffre noir » de 83 victimes qui – et quelle qu'en soit la raison – ont choisi de ne pas porter plainte.

– Incendies de véhicules : sur le territoire de la Communauté urbaine de Lyon, les pompiers spécialisés de la caserne de Feyzin décomptent (en 1998)

---

1. Voir *Le Monde* du 14 juillet 1999, « Les agressions lors de la Fête de la Musique à Paris ont progressé de manière constante ». En 2003, pas de blessé sérieux mais 81 interpellations.

1 863 interventions pour feux de voiture – comptabilisées comme autant de véhicules incendiés – mais précisent qu'à ces interventions correspondaient *2 500 carcasses calcinées* – ici le seul chiffre pertinent[1]. À Strasbourg, même distorsion entre le comptage minimaliste des voitures incendiées effectué par la police (614 du 1er janvier au 30 novembre 1999) et celui des pompiers[2] (1 004 du 1er janvier au 13 décembre 1999, dont 50 par accident, sur un territoire à peine supérieur).

La confirmation qu'il y a bien – à tout le moins – distorsion vient de l'enquête de victimation CESDIP-Conseil régional d'Île-de-France (voir plus bas) qui affecte à la catégorie « destructions et dégradations de véhicules » un coefficient de 5,3 des 10 504 Franciliens interrogés en 2001, alors que les chiffres policiers suggèrent que 1 % seulement de la population est victime de telles infractions. Sur le même sujet, l'IAURIF (voir sa « Note rapide » n° 289 de février 2002) est encore plus clair, puisqu'il émet, sur les « destructions et dégradations de véhicules », l'hypothèse suivante : « On peut alors supposer, pour les données policières, un très large emploi d'enregistrements simplifiés dans ces sortes de délinquances, du type main courante judiciaire, qui font échapper au comptage statistique une bonne partie des incidents pourtant signalés par les victimes. »

1. Voir *Le Journal du Dimanche,* 5 décembre 1999.
2. Voir *Le Figaro* du 14 décembre 1999. En 1999, il y a eu 5 % de voitures de plus incendiées à Strasbourg qu'en 1998.

2. Connaît-on bien les victimes des violences urbaines ? Les enquêtes de victimation.

– Une enquête de victimation est en réalité un sondage qualitatif en général de grande ampleur dans lequel on pose des questions sur les infractions dont le sondé a été victime. Une telle enquête permet d'évaluer la réalité criminelle d'un pays ; de savoir qui sont les victimes ; où se produisent les infractions et comment elles se déroulent. L'enquête complète alors les données issues de l'activité des services de police.

Le 22 octobre 1999, l'Institut des Hautes Études de la sécurité intérieure (IHESI) et l'INSEE publient une grande enquête de victimation : 6 000 ménages, 11 000 personnes interrogées sur des faits remontant pour l'essentiel à 1997-1998. Ce remarquable ensemble permet de sonder le véritable gouffre qui parfois existe entre le réel *connu* (les statistiques policières) et le réel *vécu* (la quantité de victimes)[1].

Ainsi le rapport connu-vécu est-il de :

- 1 à 2,5 pour les cambriolages ;
- 1 à 1,2 pour les vols d'automobiles ;
- 1 à 2,1 pour les vols à la roulotte ;
- 1 à 6 pour les destructions ou dégradations de véhicules ;
- 1 à 2,3 pour les coups et blessures volontaires ;
- 1 à 66 pour les menaces et chantages ;
- 1 à 115 pour les atteintes à la dignité de la personne.

1. Voir Alain Bauer, « Insécurité et statistiques, du bon usage des enquêtes de victimation », *La Tribune du commissaire de police,* décembre 1999.

L'étude montre aussi la forte déperdition – plus d'un million de faits – se produisant entre la plainte spontanée au commissariat (« main courante ») et la saisie statistique de l'infraction (« état 4001 ») :

Infraction	Main courante	État 4001
Cambriolage	564 000 déclarés	370 000 pris en compte
Vol de véhicule	695 000	639 000
Dégradation de véhicule	1 121 000	559 000
Atteintes à la personnalité	683 000	63 000

Plus récemment encore (février 2002), le Conseil régional d'Île-de-France publiait la plus importante enquête de victimisation régionale jamais réalisée en France. Une deuxième enquête a été réalisée en 2003 mais l'ensemble des résultats n'est pas encore connu. S'agissant des atteintes physiques à des Franciliens de plus de 15 ans :

– 6,67 % des Franciliens ont été agressés entre 1998 et 2000, soit 580 000 personnes[1] (12,8 % des lycéens ont été agressés). Dans 50 % des atteintes physiques, il s'agit de « vols à l'arraché ou tentatives accompagnées de coups ». Seul un tiers des agressés a porté plainte.

– 7,93 % (8,98 % pour l'enquête 2003) des Franciliens avaient été victimes d'un vol personnel (sans

1. Analysée par le CESDIP, la grande enquête de victimisation de 1984-1985 donnait à l'époque un taux presque trois fois inférieur (2,6 %). L'enquête de 2003 révèle des chiffres légèrement inférieurs : 5,95 % des Franciliens (soit 516 000 personnes) ont été agressés entre 2000 et 2002.

violence, argent, bijoux, téléphones portables[1] ou documents d'identité). Moins d'un vol sur 30 a été élucidé (1 sur 15 pour les vols ayant donné lieu à dépôt de plainte) ; 1 vol sur 5 a été commis dans les transports en commun (1 sur 4 pour l'enquête de 2003).

– 9,52 % avaient été victimes d'un cambriolage (430 000 foyers de 1998 à 2000, les trois quarts avec effraction)[2]. 43,7 % des cambriolés ont porté plainte et 15 % de ces plaintes ont débouché sur l'identification du malfaiteur.

– 18,91 % avaient été victimes d'une destruction – dégradation de véhicule, soit 850 000 foyers. Pour l'enquête 2003, il s'agit de 795 000 foyers touchés mais la part des destructions est passé de 4 à 6 %.

En excluant les agressions sexuelles, ou entre proches, classées à part, l'enquête révélait que :

– une agression sur cinq avait généré des coups ;
– une sur six, des blessures ;
– 7 % des agressions avaient généré une incapacité de travail de plus d'une semaine.

Ces agressions avaient été commises :

– dans 3,71 % des cas, avec une arme à feu ;
– dans 16,26 % des cas, avec une arme blanche ;
– dans 10,98 % des cas, avec une arme par destination (barre de fer, etc.) ;
– dans 1,14 % des cas, avec un chien d'attaque.

1. Un fait sur six pour l'enquête 2001 et un fait sur quatre pour l'enquête 2003.
2. Enquête 2003 : 8,59 %, soit 387 000 ménages.

Publiée en février 2002, une « Note rapide » (n° 289) de l'IAURIF (Institut d'aménagement et d'urbanisme de la région Île-de-France) soulignait encore que, « dans les zones en difficulté, les jeunes sont deux fois plus nombreux que dans l'ensemble de la région [IDF] à avoir peur chez eux, et beaucoup avouent avoir peur dans la rue » (*Sécurité et comportements,* n° 3).

En octobre 2003, la préfecture de police a fait réaliser une enquête de victimation plus légère (3 005 personnes, réalisée par l'IFOP, analysée par AB Associates) à Paris. Celle-ci révèle que 11 % des Parisiens ont « fréquemment » subi des comportements agressifs (« parfois » : 40 %) et 22 % un vol (avec ou sans violence) ou un cambriolage (ou tentatives). Sur les victimes de vols, plus de 25 % l'ont été plusieurs fois au cours de l'année 2003 (plus de 31 % dans la zone des 10, 18 et 19e arrondissements) mais plus de 19 % n'ont pas porté plainte. Ces non-dépôts de plainte sont justifiés par un dommage minime (49,9 %), par un sentiment d'inaction des services de police et de justice (24,7 %), par un refus de prendre la plainte par la police (6,5 %) et par une peur des représailles (0,9 % et 1,3 % pour les victimes de vols avec violence). 26 % des Parisiens ont en outre été victimes de vol ou de dégradation/destruction (ou tentatives) concernant leur véhicule (31 % dans la zone des 8, 16 et 17e arrondissements). Parmi ces 26 %, plus de 31 % ont été victimes à plusieurs reprises. La police a été mise au courant dans près de 39 % des cas et une plainte en a découlé à plus de 86 %. Les non-dépôts de plainte sont justifiés par un dommage minime (58,3 %), par un sentiment

d'inaction des services de police et de justice (31,6 %),
par un refus de prendre la plainte par la police (1,9 %)
et par une peur des représailles (0,6 %).

Enfin, l'enquête nationale sur les violences envers
les femmes en France (réalisée par l'Université de
Paris I et diffusée en mars 2002) révélait que :

– 13,2 % des femmes interrogées avaient subi une
  agression verbale (20,1 % en Île-de-France) ;
– 1,7 %, une agression physique (2 % en Île-de-
  France) ;
– 1,9 %, une agression sexuelle (3,9 % en Île-de-
  France).

• *Élucidation :* mal connues, mal décomptées, ces
infractions sont enfin mal réprimées. ± 71 % des crimes et délits constatés en France le sont par la police
nationale (le solde, par la gendarmerie nationale).
En 2003, le taux d'élucidation général des 2 834 555 infractions constatées par les policiers est de 26,2 %, plus
qu'en 2002 (23,9 %).

Quant à la gendarmerie nationale, son taux d'élucidation s'effondre : 52,8 % en 1996, 35,4 % en 2003
(en hausse par rapport à 2002 : 32,1 %).

Globalement, en 2003, le taux d'élucidation est de
28,83 % (contre 26,27 % en 2002 et 52,40 % en 1972).

IX. – Prévenir les violences urbaines ?
La « politique de la ville »

En France, près de 10 millions de personnes vivent
dans les « quartiers d'habitat social ». Depuis maintenant trois décennies, ils y sont souvent en proie au

chômage, à l'insécurité, à la précarité et à l'angoisse de l'avenir. Surtout, les populations cantonnées dans ces « quartiers en difficulté » sont touchées de plein fouet par les violences urbaines – ici, plutôt suburbaines.

Emblématique de ces quartiers-ghettos, la fameuse cité des Bosquets, à Montfermeil (Seine Saint-Denis). Selon *Le Monde* (2 octobre 2001), on y compte 83 % de non-imposables, 73 % de chefs de famille n'ayant pas la nationalité française et 27 % d'o.s. ou de manœuvres.

Face à ces graves difficultés, existe depuis le début des années 1980 la « politique de la ville ». Au cours des années, cette politique a connu 20 variantes successives – mais a coûté cher. Selon une étude détaillée du quotidien économique *Les Échos* (29 janvier 2002), l'État, les collectivités territoriales et même, désormais, l'Union européenne ont consacré, de 1989 à 2001, 39,51 milliards d'euros à ces quartiers « sensibles » totalisant, dit l'enquête, 6 millions d'habitants. Pour l'année 2002, l'effort public en faveur de la politique de la ville s'élève à un peu plus que 6,2 milliards d'euros. Ces sommes, pour l'essentiel, sont partagées entre :

– *Les contrats de ville* : 247 contrats ont été signés par l'État et les collectivités locales, pour le 12e plan (2000-2006). Ces contrats intéressent ± 1 500 quartiers prioritaires, d'abord pour les transports et l'habitat.

– *Les grands projets de ville (GPV)* : créés en 1999, ils concernent ± 50 agglomérations. Durant le 12e plan, ± 3 milliards d'euros financeront « des projets de requalification urbaine et de développement économique et social ».

– *Les opérations de renouvellement urbain* : elles concernent 70 sites et visent à « restructurer le bâti dégradé ». Dotation : 283 millions d'euros.

Au cours des dernières années, la doctrine de la « politique de la ville » (pour autant qu'on la comprenne) semble avoir été l' « aide aux quartiers défavorisés et à la mixité sociale dans l'habitat ». Réhabiliter les immeubles, encourager la vie associative locale, faciliter l'emploi des exclus, devait faire baisser la délinquance et réduire les violences urbaines. C'est en tout cas la définition que donnait *Le Monde* des GPU, « ambitieux chantier de reconstruction du tissu urbain et du lien social dans les quartiers difficiles de 50 villes de France »[1].

Mais tout cela s'est fait sans grande cohérence, les dotations et subventions se chevauchant ou s'empilant de façon inextricable – au point que l'expression « jungle des aides » a pu être utilisée. C'est en tout cas ce que révèle un long – et fort sévère – document de la Cour des comptes, publié en février 2002.

Ce rapport critique d'abord la conception même de la politique de la ville : « absence d'objectifs quantitatifs... flou... éparpillement... logique d'affichage » sont les termes ici employés. Les procédures ? Elles sont « complexes, innombrables... sédimentées ».

Combien coûte la politique de la ville ? Combien dépense-t-on et à quoi faire ? « Difficile à dire... Il n'est pas possible de donner un chiffrage précis et incontestable du montant des crédits publics affectés à

1. Voir « Un coup de pouce de 700 millions pour la politique de la ville », *Le Monde,* 18 mars 2000.

la politique de la ville », regrette le rapport. Bref, la machine est « sans compteur »[1].

Le résultat concret de cette politique ? « Il n'existe pas d'évaluation nationale des résultats de la politique de la ville », remarque encore le rapport de la Cour des comptes. Au total, quel est le bilan concret de la politique de la ville, en matière de criminalité et de chômage ?

– *Criminalité :* en 1993, la Direction centrale des renseignements généraux considérait que 485 quartiers sensibles étaient sérieusement touchés par les violences urbaines. En 1998, on en était à 818 quartiers. Fin 2000 (officieusement), les experts du ministère de l'Intérieur annonçaient que le cap des 1 000 quartiers « sérieusement touchés par les violences urbaines » était dépassé, et près de 1 200 en 2002...

– *Chômage :* en mars 2002, une note de l'INSEE annonce « une forte progression du chômage dans les Zones urbaines sensibles (ZUS), ce malgré une forte baisse de la population y résidant » : dans les 716 ZUS de la France métropolitaine (4,67 millions d'habitants en 1999), 400 000 chômeurs en 1990 et 500 000 en 1999 (+ 22,8 %). Quel chômage le ministère de la Ville prétendait-il réduire en priorité ? Celui des jeunes. Là encore, c'est un échec : il y avait dans les ZUS métropolitaines 28,5 % de chômeurs de 15 à 24 ans... et 39,5 % en 1999. Résultat : la Cour des comptes parle même d' « aggravation des difficultés sociales »

1. Le « plan de cohésion sociale », élaboré par Jean-Louis Borloo, ministre de l'Emploi, du Travail et de la Cohésion sociale, prévoit une dotation de 13 milliards d'euros sur cinq ans (annonce faite le 30 juin 2004).

dans certains quartiers sensibles traités par la « politique de la ville ».

Pourquoi cette « aggravation », malgré les milliards d'euros dépensés ? Sans doute du fait d'une erreur de doctrine. Pour les experts de terrain des quartiers sensibles, la politique de la ville a privilégié la « requalification des espaces urbains », c'est-à-dire les démolitions et changements esthétiques affectant l'urbanisme. Une politique qualifiée de « cosmétique » par ces experts, et d'inutile tant qu'on n'aurait pas restauré la loi et l'ordre dans ces fameuses Zones urbaines sensibles.

C'est ce que démontre le cas du quartier sensible du Val-Fourré à Mantes-la-Jolie (78). Au titre des grands projets urbains (GPU), 533 millions de francs (81 millions d'euros) ont été alloués au Val-Fourré de 1995 à 1999[1]. « Or, dit *Le Monde* (29 septembre 2001), le Val-Fourré continue à décliner, malgré les efforts financiers. » Un « climat d'insécurité sans précédent »... « La violence a atteint des niveaux catastrophiques ». Plus grave encore, « les forces vives du quartier s'évaporent » : petits commerçants, médecins, infirmiers et enseignants s'en vont, lassés des déprédations et des agressions. En 2003, les professionnels de la santé de ce quartier (médecins, infirmiers, pharmacies, laboratoires d'analyses...) ont manifesté pour protester contre l'insécurité : 15 agressions en trois ans et des médecins qui déménagent et qui ne sont pas remplacés.

1. Voir « À Mantes, le Val-Fourré ne veut pas rester un ghetto », *Le Parisien*, 9 décembre 1999. Voir aussi « Deux milliards de francs pour les quartiers dégradés », *Le Parisien* du même jour.

Une logique urbanistique, parfois sociale – mais jamais sécuritaire. Et, au total, un résultat tel que même M. Jean-Marie Bockel, député-maire socialiste de Mulhouse, s'est déclaré partisan de « supprimer le ministère de la Ville ».

X. – Violences urbaines : la justice démunie

Le souci que l'on a de la bonne administration de la justice, la considération qu'on éprouve pour ceux dont la tâche si difficile consiste à juger avec mesure et en équité : tout cela pousse à déplorer que la machine judiciaire, n'ayant plus les moyens humains et matériels de traiter les contentieux de masse, échoue le plus souvent à traiter ces formes criminelles recouvertes par l'expression « violences urbaines ».

Cela, c'est le plus important syndicat de magistrats, l'USM (Union syndicale des magistrats), qui l'affirme dans son « Livre blanc » d'avril 2002, soulignant même que la justice est « une machine qui tourne à vide dans l'indifférence générale ».

Au pénal en effet, et selon l'USM :

– 5 461 024 procès-verbaux ont été reçus en 2002 par les Parquets (5 039 643 en 2001) ;
– 3 583 852 concernent des « auteurs inconnus » ;
– 477 935 jugements sont *in fine* prononcés (548 476 en 2001), soit 8,75 % par rapport aux plaintes reçues (10,20 % en 2001) et 25,46 % par rapport aux auteurs identifiés (contre 35,09 %).

Là-dessus, toujours selon l'USM mais en 2001 :

– Des peines de prison ferme dont 31,15 %, quoique prononcées, « ne sont jamais exécutées ». Pourquoi ? Un ensemble de grâces présidentielles, d'amnisties, de transformation de peines en Travaux d'intérêt général (TIG) et de « raisons inconnues du ministère de la Justice ». Les peines exécutées, elles, subissent une « érosion » qui font que les condamnés n'accomplissent jamais plus de 70 % de leur peine.

Le ministère de la Justice, lui (cf. *Libération* du 10 avril 2002), reconnaît que « 32 % des peines de prison ne sont pas purgées en cellule ». 11,5 % de cette « évaporation » correspondant à des grâces ou amnisties ; 5 % à des « courtes peines aménagées dans un souci de réinsertion » ; enfin et plus étrangement, 15,5 % d' « adresses inconnues de la justice »[1].

– Et les amendes ? Seulement 20 à 30 % d'entre elles sont recouvrées.

Les mesures alternatives à la détention, maintenant. Il y en avait, au 31 décembre 2003, 135 721, soit :

– 19 990 TIG ;
– 105 247 sursis avec mise à l'épreuve (SME) en cours ;

1. Une situation d'autant plus grave que la grande étude sur la récidive et la prison, publiée aux États-Unis par le « Bureau of Justice Statistics » (département statistique du ministère de la Justice), en juin 2002, donne sur ce point un éclairage révélateur. L'étude (qui couvre les années 1983-1994) concerne 272 111 prisonniers libérés. Elle montre que 67 % de ceux élargis en 1994 ont commis un « crime sérieux » dans les trois années suivantes. Si le malfaiteur n'est même pas incarcéré du tout, il tombe sous le sens que son taux de récidive ne peut qu'être encore plus fort. En France, en 2001, 31,3 % des délinquants condamnés étaient des récidivistes.

– 5 432 contrôles judiciaires ou interdiction de séjour ;
– 6 428 libérations conditionnelles.

Chaque année, par exemple, 40 000 SME sont prononcés. Rappelons que, s'il y a violation des obligations du SME, le sursis est en principe révoqué. Mais en réalité, dit l'USM, seules 25 % des personnes condamnées à un SME sont réellement prises en charge.

Quant aux TIG, « aucune statistique sur son taux d'exécution n'est disponible ». Conclusion de l'USM : « L'inobservation des mesures de probation, le non-respect des obligations du SME ou du TIG sont rarement sanctionnées. »

Enfin, ces 135 721 mesures alternatives à la détention auraient dû être suivies par les 100 Services pénitentiaires d'insertion et de probation (SPIP) du ministère de la Justice, répartis sur l'ensemble du territoire. Mais chacun de ces SPIP ne compte en moyenne que cinq éducateurs. Soit, pour chacun de ces derniers, 270 « clients » par an – une charge de travail parfaitement insupportable et, donc, un suivi et un contrôle le plus souvent théoriques.

Voyons enfin le cas de la Protection judiciaire de la jeunesse (PJJ), dont la mission est de prendre en charge (éducative ou pénale) des jeunes « en difficulté, en danger ou délinquants » de 13 à 21 ans, sous mandat judiciaire ; répartis entre 70 % de garçons et 30 % de filles. Ces jeunes, il y en a plus de 53 000 dans les établissements du secteur public de la PJJ et plus de 69 000 dans des établissements du secteur associatif habilité.

Là encore, quelle est l'effectivité, l'efficacité du travail accompli ? En mars 2002, *Le Figaro* publiait un inquiétant rapport de la Cour des comptes sur la PJJ (rapport définitif rendu en mai 2003), décrivant d'innombrables évasions – qualifiées même d' « évaporation » – de jeunes sous mandat et dénonçant les « effectifs imprécis », la « balkanisation des personnels » et les « budgets mal contrôlés »[1]. Ce rapport de la Cour des comptes concluait en condamnant un véritable « état de sinistre ». Au même moment, *Le Monde* (du 23 mars 2002) révélait que la PJJ avait été auditée par un cabinet indépendant, le CIRESE, dont le rapport se concluait ainsi : « Il n'existe pas aujourd'hui de données fiables ni d'étude quantitative ou qualitative exhaustive concernant l'ampleur et la nature de ce phénomène de délinquance réitérative. » Tenter de réinsérer de jeunes malfaiteurs chroniques est, bien sûr, la mission première de la PJJ – et, de loin, la plus importante.

Ce tableau d'ensemble permet de comprendre que, dans le cas des violences urbaines et le plus souvent, les malfaiteurs en cause sont de jeunes multiréitérants vivant dans ces quartiers « sensibles », d'où la police est en général absente. Et que, donc, le « taux d'évaporation » judiciaire atteint ici à son comble, ce qui renforce encore le grisant sentiment d'impunité ressenti par ces jeunes délinquants ou criminels.

---

1. De 1996 à 2000, les crédits de fonctionnement de la PJJ ont augmenté de 38 % et ceux d'investissement de 69 %.

Chapitre II

RÉALITÉS DÉRANGEANTES

I. – Modèles et exemples étrangers

Au cours de l'année 2003, la criminalité connue à New York (meurtres, viols, agressions, vols à main armée, cambriolages, vols de voitures, notamment) a encore baissé : – 5,8 % au total par rapport en 2002 ; ce qu'elle fait constamment depuis 1990. Les meurtres sont passés de 2 262 en 1990 (sommet historique) à 597 en 2003 (+ 1,7 % ; 587 en 2002)[1]. Les vols à main armée ont diminué de 4,6 % en 2003, les cambriolages de 7 %, les viols de 4,7 % et les agressions de 9 %.

En février 2002, 32 meurtres ont été commis à New York, le total mensuel le plus faible depuis quarante ans (1962). Notons que cette baisse survient malgré moins d'heures supplémentaires accordées aux policiers (restrictions budgétaires) ; 4 000 policiers de moins qu'en 2000 et la mobilisation anti-terroriste, suite aux attaques du 11 septembre 2001.

New York est donc désormais une ville sûre accueillant en sécurité des visiteurs qui tendent à revenir,

1. Voir sur ce sujet Alain Bauer et Émile Perez, *L'Amérique, la violence, le crime,* PUF, « Criminalité internationale », 2000.

malgré le choc des attentats de septembre 2001. La ville a notamment regagné démographiquement des habitants et des entreprises qui l'avaient fuie après la grande crise financière et criminelle qui avait débuté au début des années 1970. Enfin, d'autres villes des États-Unis s'inspirant du modèle new-yorkais connaissent aussi une décrue significative de leur criminalité, quelle que soit leur taille ou leur situation géographique.

L'« exception française » peut-elle se permettre d'ignorer cette réalité, ces chiffres spectaculaires ? Non, bien sûr – même s'il ne s'agit pas de simplement décalquer le travail policier et judiciaire new-yorkais. Mais la sécurisation d'une ville voilà dix ans encore fort criminelle[1] permet quand même tordre le cou à plusieurs « canards » pseudo-criminologiques, volatiles nuisibles, mais toujours vivaces dans notre pays.

Canard n° 1. – L'origine du crime est démographique : au cours des décennies 1980-1990, le nombre des jeunes hommes âgés de 15 à 19 ans[2] aurait diminué de 20 % (en proportion des autres tranches d'âge de la population) et, de ce fait, le crime aurait mécaniquement baissé. Faux : à New York, dans la décennie 1990, la croissance de la tranche d'âge des 15-19 ans a fortement repris – et c'est justement la période pendant laquelle le crime s'est effondré.

1. En 1993, la ville de New York recense 1 946 meurtres, 86 000 vols à main armée, 99 000 cambriolages et 112 000 vols d'automobiles.
2. La tranche d'âge la plus criminogène aux États-Unis, du fait de meurtrières « guerres » entre gangs juvéniles.

Canard n° 2. – L'origine du crime est économique (autrement dit, la misère génère le crime). Faux : à New York, la plus forte baisse des agressions et meurtres se produit dans des quartiers défavorisés. Or, dans ces secteurs naguère à haut risque, les conditions économiques et sociales – soi-disant criminogènes – n'ont quasiment pas changé de 1990 à 1996 pour les jeunes hommes de 17-26 ans (la tranche d'âge où se commettent les crimes les plus graves, d'abord lors des « guerres de gangs »).

Cette constatation confirme une étude de James Q. Wilson (*Thinking about Crime,* New York, Basic Books, 1983) montrant que la criminalité a baissé aux États-Unis durant la Grande Dépression (1929-1936), alors que le chômage touchait 37 % de la population. Ce notamment à Chicago, à Cleveland, et dans les États de l'Illinois et du Massachusetts, malgré le désastre économique et la misère sociale. De 1930 à 1935, des études scientifiques réalisées *a posteriori*[1] révèlent ainsi que le nombre de crimes pour 100 000 habitants serait (à l'échelle nationale américaine) passé de 6,3, à 4,2... Même les assassinats ont diminué en nombre à l'époque. Pour preuve, l'étude classique[2] de Donald T. Lunde, professeur de psychiatrie criminelle à l'Université Stanford (Californie), qui analyse la relation taux d'homicide - économie

1. À l'époque, il n'existait pas de statistiques criminelles à l'échelle des États-Unis, uniquement au niveau local ; au mieux, des États. Des modèles mathématiques complexes ont donc été nécessaires pour recréer une statistique nationale, considérée comme fiable par la communauté scientifique.
2. Donald T. Lunde, *Murder and Madness,* Portable Stanford Series, San Francisco Books, CA, 1976.

aux États-Unis de 1929 à 1949. Un taux qui s'effondre durant la Grande Dépression.

Canard n° 3. – La criminalité baisse à New York parce qu'il y a plus de policiers dans les rues en 1995 qu'en 1990 ; c'est donc un simple effet « peur du gendarme ». Faux. La police de New York (NYPD) atteint le sommet de sa courbe de recrutement (près de 39 000 hommes) en septembre 1994 ; par la suite, elle perd (par le jeu naturel des départs en retraite, des démissions, etc.) 1 400 hommes par an – et la criminalité continue de baisser en 1995, 1996 et 1997. Et on a vu plus haut qu'au premier trimestre 2002 la criminalité continue de baisser alors que la NYPD est largement mobilisée par la lutte anti-terroriste. Voici la preuve que saturer les rues de policiers n'est à long terme utile que si, en même temps, l'on applique concrètement une politique ferme de lutte contre le crime, et d'interdiction des activités délictueuses gênant ou effrayant la population[1].

Tout cela est d'ailleurs démontré dans le livre-bilan publié début 1998 par William Bratton, qui, de 1993 à 1996, élabora à New York la politique de « zero tolerance »[2], tout en fusionnant les trois grandes forces de police de la ville (voie publique, transports, HLM).

---

1. Rappelons qu'au milieu de la décennie 1970 une crise financière grave contraint la municipalité à licencier 5 000 policiers. De ce fait, la stratégie de la NYPD amène les policiers à concentrer leurs efforts sur le crime organisé, les « grosses affaires », etc. Conséquence : la petite délinquance explose et provoque une augmentation massive de la grande criminalité. New York perd 1 million d'habitants et nombre d'entreprises en quelques années.
2. W. Bratton, *Turnaround : How America's Top Cop reversed the Crime Epidemic,* New York (NY), Random House, 1998.

Remarquons enfin que tous ces « canards théoriques » sont construits sur le même modèle :

– Oubli absolu, d'ordre idéologique, de la dimension « biologique » du crime : en effet, les acteurs des agressions et des guerres des gangs (ce que nous appelons en France « violences urbaines ») sont toujours de jeunes mâles de 15 à 25 ans, dont le taux élevé de testostérone, dû à la puberté, explique un comportement d'autant plus violent qu'il est asocial, c'est-à-dire non canalisé par l'éducation ou l'école, vers des activités positives (sport, travail, etc.).

– Attribution exclusive du phénomène criminel à une unique et lointaine genèse sociale. Très en amont du crime lui-même, il y aurait un dysfonctionnement qu'il suffirait de régler par l'ingénierie sociale pour que le crime baisse tout seul.

– Conclusion à l'impuissance des autorités face au crime lui-même. Or l'État – en l'occurrence, à New York, la municipalité – n'est pas du tout impuissant. Quand volonté politique de faire baisser le crime il y a – et que les moyens nécessaires à cette politique existent –, le crime baisse.

Et comme le souligne l'auteur d'une étude fort éclairante[1] sur l'évolution du crime à New York, en citant Sherlock Holmes : « Quand on a éliminé jusqu'à l'impossible, ce qui reste – même incroyable – doit être considéré comme réel. » Ce qui reste ? C'est qu'au-delà de toutes les théories d'inspiration sociologique l'origine la plus certaine du crime, *c'est le criminel lui-même*.

---

1. James Lardner, *Can you believe the New York Miracle ?*, New York Review of Books, août 1997.

II. – La France périurbaine n'est pas policée

• *La France périurbaine atteinte par le crime*

La vague criminelle actuelle affecte la proche banlieue, mais s'étend désormais bien au-delà. Par exemple dans la zone périurbaine de Paris, comme on l'a vu plus haut, on observait en 2001 une extension des violences urbaines à l'Eure, l'Eure-et-Loir, le Loiret, le Cher... Situation confirmée et accentuée depuis.

Naguère, cette « grande couronne » constituait un eldorado pour les familles bourgeoises de Paris et de province, qui sont venues nombreuses s'y installer dans les décennies 1970 et 1980. Aujourd'hui, l' « eldorado rurbain » est frappé de plein fouet par la violence urbaine : « Ni villes ni territoires agricoles, ces espaces indéfinis où réside une population estimée à 9 millions de personnes sont souvent des lieux de précarisation et de tensions. »[1]

Quittons l'Île-de-France pour la province : dans un rayon de 10 à 30 km, naguère campagnard, autour des principales métropoles régionales (Lyon, Marseille, Montpellier, Nantes, Nice, Perpignan, Rennes, Strasbourg, Toulouse), se sont installés de 1975 à 1995 ± 3,5 millions de ménages. L'urbanisation y a été très rapide. Aujourd'hui, en France métropolitaine, 15 millions de personnes résident dans ce qui constitue l'amorce d'un « suburbia » à l'américaine. Et, comme dans le cas de la grande couronne parisienne, la vio-

1. « Les rurbains en région Île-de-France », *Le Monde,* 24 octobre 1999.

lence urbaine s'aggrave désormais partout autour de ces métropoles régionales.

Paris, province : ainsi, la violence est bel et bien intégrée dans le quotidien de la France périurbaine. Voie publique, transports en commun, établissements d'enseignement, secteurs commerçants : dans cette France-là, nul n'échappe plus vraiment aux effets de la délinquance et du crime.

- *50 % de la population dans la France périurbaine*
  – et fort peu de policiers

Selon l'INSEE, la France périurbaine abrite aujourd'hui au total ± 50 % de la population, française de souche, immigrée, de statut légal, ou clandestin. Or cette France périurbaine est peu policée – parfois, pas du tout. En 1994, le Rapport Picq souligne que « la surdensité [en policiers et gendarmes, respectivement] à Paris et dans les zones rurales laisse certaines zones urbaines et surtout suburbaines dramatiquement démunies ». Or, depuis 1994, rien n'a changé. À Paris, on comptait en 1999 un policier pour 119 habitants ; dans la petite couronne, un pour 395 habitants ; et dans la grande couronne, un pour 510 résidents[1].

- *À l'inverse : la saturation policière, une panacée ?*

Le plus grave est que la saturation policière de Paris *intra-muros* ne garantit pas une baisse durable de la

1. Derniers chiffres disponibles. Notons que cette même grande couronne générait en 1999 plus de 36 % des crimes et délits constatés en Île-de-France. Cf. ministère de l'Intérieur, février 2000. Voir également Alain Bauer et André-Michel Ventre, *Les polices en France*, PUF, « Que sais-je ? », n° 2761.

criminalité : passée une phase initiale de prudence, les malfaiteurs constatent qu'une présence policière passive, sans répression ferme à la clé, ni condamnations à de vraies peines de prison réellement purgées, est au fond inoffensive. Ils reprennent alors le cours ordinaire de leurs activités – et la criminalité s'aggrave derechef. C'est ainsi qu'à Paris, en 2001, la criminalité visant les personnes augmente encore malgré le rétablissement de « Vigipirate renforcé » après les attentats visant les États-Unis en septembre 2001.

Chapitre III

INSÉCURITÉ URBAINE :
ÉLÉMENTS D'UNE POLITIQUE

En matière d'analyse de l'insécurité, rien n'est simple. Partielles, partiales ou parcellaires, les statistiques ne livrent qu'en partie le réel. Et les réponses sociales (préventives ou répressives) ne s'appuient pas toujours sur une recherche approfondie de la réalité criminelle. Cela n'empêche qu'au cours des dernières années se sont développées des réponses à l'insécurité urbaine : certaines émanent de l'État, d'autres relèvent d'initiatives locales, publiques ou privées. C'est à la description et à l'analyse de ces réponses, ou de ces projets, que nous consacrons la troisième et dernière partie de cette étude.

I. – Des réponses d'État

1. La loi d'orientation et de programmation relative à la sécurité (LOPS) du 21 janvier 1995. – Élaborée par Charles Pasqua dans le courant de l'année 1994, votée par le Parlement à la fin de la même année, la loi d'orientation et de programmation relative à la sécurité (dite LOPS) modifie profondément le rôle de l'État en matière de sécurité publique, quoiqu'elle ait été partiellement censurée par le Conseil constitutionnel. Mais, au vu de la précédente loi de même ampleur présentée en 1985 par Pierre Joxe[1], on constate une filiation indéniable entre les deux textes, surtout lorsqu'on analyse le rapport annexe présenté par le gouvernement et publié par le même *Journal officiel*[2].

Voici deux exemples de cette continuité : en filigrane de la politique de modernisation de la police, le recours à des partenaires extérieurs était ainsi avancé dès 1985. Poursuivant cette tendance, la loi de juillet 1989 sur la sécurité des transports aériens[3] initiait à son tour la privatisation partielle du contrôle préventif des personnes, des bagages, du fret, des colis postaux, des aéronefs et des véhicules accédant aux zones contrôlées des aéroports. Les changements de gouvernement n'ont pas infléchi cette volonté, tandis que les décrets d'application continuent à être publiés et que d'autres modifications législatives (polices municipales, sécurité privée) continuent à être présentées devant le Parlement.

Parmi les innovations de la LOPS, on peut noter :

A) *La vidéosurveillance*[4]. – L'article 10 de la LOPS fournit enfin un cadre législatif clair à qui souhaite

1. Loi 85-835 du 7 août 1985, *JO* du 8 août 1985.
2. La loi et son rapport annexe : loi 95-73 du 21 janvier 1995 ; *JO* du 24 janvier 1995.
3. Loi 89-467 du 10 juillet 1989 (*JO* du 11 juillet 1989).
4. Décret 96-926 du 17 octobre 1996, *JO* du 20 octobre 1996, p. 15432, et circulaire du 22 octobre 1996, *JO* du 7 décembre 1996, p. 17835, plus diverses circulaires sectorielles non publiées au *JO*. Sur le décret, voir la note de l'IHESI, « Vidéosurveillance, étude du dispositif d'application », janvier 1997.

user de cette technologie en plein développement. En effet, de rares décisions de justice n'avaient pas vraiment éclairé le débat, et les interrogations que se posait sur ce point la Commission nationale de l'informatique et des libertés n'avaient jusqu'alors que peu de portée légale.

Outre une autorisation délivrée par une commission préfectorale[1], elle-même préalable à l'installation des nouveaux équipements sur la voie publique et dans les établissements ouverts au public (EOP), la loi prévoit également que les installations de vidéosurveillance réalisées antérieurement doivent faire l'objet d'une déclaration valant demande d'autorisation, et être mises en conformité avec le texte, ce dans un même délai de 6 mois après parution du texte[2].

Si, en raison de la censure partielle du Conseil constitutionnel, la rédaction du texte ne précise pas le délai retenu pour la décision sur la déclaration préalable concernant les installations nouvelles, il faudra conserver le principe commun des deux fois deux mois. En effet, le Conseil constitutionnel a censuré la partie des dispositions du texte qui prévoyait que « l'autorisation sollicitée est réputée acquise à défaut de réponse au bout de quatre mois ». Au nom des libertés publiques, le Conseil a donc modifié une jurisprudence jusqu'alors constante en matière administrative. Le décret 2002-814 du 3 mai 2002 (*JO* du

1. Composée de magistrats administratifs et judiciaires, d'élus, de représentants de chambres de commerce et d'industrie et de personnalités qualifiées.
2. Dans ce cas de son décret d'application, soit au 20 avril 1997.

5 mai 2002) a corrigé ce « blanc » législatif en rétablissant un délai de quatre mois de silence de l'Administration qui vaut décision de rejet.

Seuls les dispositifs de vidéosurveillance couvrant la voie publique, ou les établissements ouverts au public, sont visés par le texte. Pour les autres, les dispositions du Code civil, du Code pénal ou du Code du travail s'appliquent. Enfin, seuls les systèmes de vidéosurveillance liés à un fichier informatisé relèvent de la compétence de la Commission nationale de l'informatique et des libertés (CNIL).

Dans tous les autres cas, le dossier administratif de demande doit être présenté à la Commission départementale des systèmes de vidéosurveillance. Le texte prévoit la constitution d'un dossier très complet, comportant :

– explication des finalités ;
– plans des installations ;
– descriptifs techniques ;
– consignes d'exploitation ;
– mise en sécurité des équipements et des enregistrements ;
– et surtout modalités d'information et d'accès du public aux images.

Quelques dispositions pratiques n'ayant pu encore être réglées en termes de fonctionnement, la mise en place des Commissions a subi un retard remarqué. Mais les dates butoirs retenues par le décret d'application ont été tenues. Le nombre de dossiers reçus n'a pas dépassé 30 000 (alors que 150 000 étaient attendus). La qualité des dossiers, et le non-respect de certaines dispositions notamment par les banques, n'a pas permis de délivrer un nombre de récépissés équivalent. Depuis, pour un flux estimé d'environ 30 000 installations annuelles, les demandes d'autorisation déposées en préfecture ne dépassent pas un cinquième du total.

Les réunions des commissions départementales ont démontré un réel souci de défense des libertés publiques et ont témoigné de la qualité très variable des dossiers présentés.

Il faudra donc attendre les premiers contentieux sur les refus d'autorisation, ou sur la constatation de situations de non-respect des textes, pour que commence à apparaître une jurisprudence en la matière.

Cependant, ce texte est très fortement apparenté aux dispositions de la loi de 1978 créant la CNIL (sauf en matière de régularisation[1]) : on peut donc considérer que son évolution sera identique.

B) *Les études préalables de sécurité publique*[2]. – L'article 11 de la loi innove en prévoyant la présentation d'une étude de sécurité publique particulièrement détaillée pour tous les équipements soumis à permis de construire ou d'aménagement et qui, « par leur importance, leur localisation ou leurs caractéristiques propres, peuvent avoir des incidences sur la protection des personnes et des biens ».

1. La CNIL est en effet une autorité administrative indépendante, ce qui la distingue des commissions départementales des systèmes de vidéosurveillance.
2. Décret non encore paru à la publication du volume. Sur ce projet de décret, voir un rapport de la 7e session nationale de l'IHESI, « Grands équipements urbains et sécurité », octobre 1996.

Cette disposition novatrice est en réalité fort lourde de conséquences. Outre l'introduction de cette étude comme élément de fait du permis de construire ou d'aménagement, elle suppose l'existence de compétences relevant du pétitionnaire pour la réaliser, ainsi que la formation d'agents de l'État en mesure de rendre un avis motivé sur les études présentées, dans un délai fixé pour l'instant à deux mois.

Certes, le seuil initialement prévu – 5 000 m^2 de surface hors œuvre nette (SHON) ou 2 000 m^2 de commerces – est élevé, mais ces dispositions s'appliqueraient également aux établissements d'enseignement recevant plus de 100 élèves, aux parkings ou aux établissements recevant du public (ERP).

Au vu des dernières versions connues des textes d'application, l'absence d'avis motivé ne vaudrait pas rejet de la demande, mais il serait délicat qu'une collectivité locale autorise un permis de construire, alors que ces dispositions nouvelles n'auraient pas été validées par l'autorité publique (préfet ou direction départementale de la sécurité publique ou gendarmerie nationale).

À nouveau, la formation des agents de l'État sera particulièrement importante pour répondre à ces mesures. De même, la professionnalisation, le contrôle de la qualification et la certification éventuelle des opérateurs privés responsables de la rédaction des études concernées devraient en toute logique faire l'objet d'une réflexion approfondie.

En cas d'incident ou de sinistre ultérieur à cette étude, des questions de responsabilité ne manqueront d'ailleurs pas de se poser et le dialogue sur ce point avec les représentants des assureurs[1] devrait être approfondi.

La guérilla menée par le ministère de l'Équipement pour empêcher la parution du décret a été victorieuse. Mais la France s'est trouvée entièrement isolée au Comité européen de normalisation (CEN) qui a rédigé une norme d'inspiration anglo-saxonne sur le même sujet.

C) *Accès aux parties communes des immeubles d'habitation*[2]. – Prenant en considération l'évolution de l'insécurité urbaine, l'article 12 de la loi prévoit que « les propriétaires ou exploitants d'immeubles à usage d'habitation ou leurs représentants peuvent accorder à la police ou à la gendarmerie une autorisation permanente de pénétrer dans les parties communes ».

Il ne s'agit pas d'un droit absolu, mais d'une possibilité laissée à l'appréciation des responsables des immeubles concernés. Cette disposition répond à une préoccupation largement exprimée, notamment dans le secteur HLM.

Les sanctions contre l'occupation illicite des halls d'immeuble ont été renforcées par la LSI (voir plus loin).

D) *Surveillance et gardiennage des immeubles*[3]. – Le même article 12 de la loi prévoit une nouvelle disposition imposant aux « propriétaires, exploitants ou af-

1. Notamment l'APSAD (Assemblée plénière des sociétés d'assurances dommages).
2. Pas de décret nécessaire.
3. Décrets parus, 97-46 et 97-47 du 15 janvier 1997, *JO* du 22 janvier 1997, p. 1095.

fectataires, selon le cas, d'immeubles à usage d'habitation et de locaux administratifs, professionnels ou commerciaux », d'assurer le gardiennage ou la surveillance de ceux ci, au-delà d'une certaine importance. Cette disposition, fort novatrice en termes d'obligations du bailleur, est de nature à élargir sensiblement l'interprétation de l'article 1719 du Code civil concernant la « jouissance paisible ».

Le décret prévu a été remplacé par trois textes portant respectivement sur les locaux professionnels et commerciaux, sur les parkings et sur les locaux d'habitation.

• En ce qui concerne les locaux commerciaux, la surface retenue pour l'application du texte est de 6 000 m² de SHON ou 3 000 m² de surface de vente. Il est désormais nécessaire pour l'exploitant, qu'il soit ou non propriétaire, de prévoir la mise en place, interne ou externe, d'un service de surveillance comptant au moins un agent durant l'ouverture au public.

Il en va de même pour les galeries commerciales dès lors qu'elles groupent au moins 20 unités sur plus de 1 500 m² de surface de vente. Ces dispositions s'appliquent dans les communes de plus de 25 000 habitants ou dans une zone urbanisée limitrophe à une commune de plus de 25 000 habitants.

De même les exploitants de banques, bureaux de change, établissements de crédits ouverts au public et détenant des fonds, bijouteries ayant un stock au moins égal à 700 000 F HT (environ 107 000 €) ainsi que les pharmacies situées dans les quartiers des grands ensembles, doivent-ils disposer :

– soit d'un système de télésurveillance (respectant le décret du 17 avril 2002) ;
– soit d'un système de vidéosurveillance associé à un dispositif d'alerte (conforme à l'article 10 de la LOPS) ;
– soit de rondes de surveillance ;
– soit de la présence permanente d'un agent de surveillance.

Les petits commerces mentionnés ci-dessus peuvent se grouper pour assurer la surveillance par un agent.

L'État peut demander confidentiellement communication des dispositions prises et vérifier celles-ci. Le non-respect des dispositions précédentes est puni par une amende de 5e classe.

Ces dispositions sont entrées en vigueur au 23 janvier 1998.

• Pour les parkings sis dans les zones urbaines d'importance analogue, les exploitants, propriétaires ou non, de parkings ouverts au public d'une capacité d'au moins 200 places et non visibles de la voie publique doivent assurer le gardiennage de ceux-ci, sauf s'ils disposent en permanence d'un préposé doté d'un système de vidéosurveillance, ou ayant à vue l'ensemble du parc.

Les dispositions développées ci-dessus (information, contrôle de l'État et amendes) sont prévues. L'application a commencé au 23 janvier 1998.

• Pour ce qui relève des locaux d'habitation, le décret 2001-1361 du 28 décembre 2001 a été publié au *JO* du 30 décembre 2001. Il prévoit, pour les immeubles ou groupes d'immeubles collectifs situés dans une ZUS, l'obligation d'employer à des fonctions de gardiennage ou de surveillance une personne à temps plein par tranche de 100 logements. À titre de complément, des agents de prévention et de médiation, ou des correspondants de nuit, peuvent être mis en place. L'absence de respect de ces dispositions est passible d'une amende de 5e classe. Les dispositions du décret sont applicables au 1er janvier 2002. De plus, la mise en place du programme gouvernemental des 35 000 emplois pour la sécurité devrait permettre une adaptation plus facile des textes, notamment pour les structures HLM, et influer sur les modalités réglementaires.

2. **Le Contrat local de sécurité (CLS)**[1]. – À l'occasion du Colloque de Villepinte organisé par le ministère de l'Intérieur en octobre 1997, paraissait, sous forme de circulaire, un texte présentant l'architecture des contrats locaux de sécurité.

Après avoir rappelé en préambule que la sûreté (terme repris au sens de la Déclaration des droits de l'homme de 1789) constituait « le socle nécessaire à l'exercice de toutes les libertés », le gouvernement assurait que cette fonction était la mission première de l'État, mais que celui-ci agissait désormais en partenariat avec d'autres opérateurs publics ou privés.

Le CLS a donc pour but de fournir un cadre clair et opérationnel de gestion de ces partenariats, en s'intéressant à des territoires qui ne sont plus seulement celui de la circonscription de sécurité publique ou

1. Circulaire du 28 octobre 1997, *JO* du 30 octobre 1997.

de la ville *stricto sensu*. Le CLS peut en effet s'appliquer à des quartiers ou des arrondissements (microterritoires), mais aussi à un groupe de communes. De même, il peut s'appliquer à des réseaux de transports. Le CLS « casse » donc les limites territoriales et rappelle ainsi la création des Brigades mobiles par Clemenceau.

En établissant un Diagnostic local de sécurité, ne reposant plus seulement sur la statistique de l'État « 4001 » qui permet à la police ou à la gendarmerie d'enregistrer les faits constatés, l'État reconnaît désormais le caractère partiel[1] et partial[2] de ce support statistique.

Le diagnostic prend donc désormais en compte le sentiment d'insécurité, une part de victimologie (nature des délinquants et des victimes) et de victimation (réalité des faits subis). Ainsi le chiffre « noir » de la délinquance, estimé entre 35 % et 50 % de la réalité par les enquêtes nationales et internationales de victimation, trouve-t-il enfin officiellement sa place dans la réflexion sécuritaire de l'État.

Acte de courage (qui vise à reconnaître la réalité des faits délictueux ou criminels subis par la population, en lieu et place de l'habituel discours sur la baisse de la délinquance) et d'honnêteté (qui interdit dans les faits de rejeter les réclamations de la population au nom d'une supposée psychose irrationnelle), cette nécessaire mutation est désormais inscrite dans un texte réglementaire.

1. Enregistrement des seuls crimes et les délits, pas des contraventions ou des incivilités.
2. Seuls les crimes ou délits dénoncés ou constatés sont pris en compte.

En préalable à la mise en œuvre du CLS, un diagnostic est préparé en coopération avec des partenaires extérieurs (bailleurs sociaux, transports publics, associations de prévention ou d'aides aux victimes, experts...). Cet outil d'aide à la décision vise en premier lieu à aborder le problème de l'insécurité dans sa globalité.

Suite à cette entreprise de découverte du réel vécu, le CLS doit ensuite définir des priorités d'action en termes :

– de prévention de la délinquance ;
– d'apprentissage de la citoyenneté ;
– de solidarité de voisinage ;
– de prévention des toxicomanies, des violences urbaines et des phénomènes de bandes ;
– de prévention dans et aux abords des établissements scolaires ;
– d'aide aux victimes ;
– de médiation pénale ;
– d'aide aux adultes dans leurs missions d'autorité ;
– de prise en compte de la sécurité en matière d'urbanisme ;
– de coordination des actions des forces nationales de police (police nationale et gendarmerie nationale), notamment dans l'accueil et l'enregistrement des plaintes.

Il s'agit là du premier recensement exhaustif des problèmes rencontrés, y compris par les services de police eux-mêmes, notamment en matière d'accueil du public. L'image d'une police qui ne constate pas, compatit peu et accueille mal paraît désormais inacceptable au ministère de l'Intérieur. Cette évolution est également à souligner.

Ces éléments réunis nécessitent donc une mobilisation de compétences et de moyens :

– par une meilleure répartition des tâches entre police et collectivités locales, concernant notamment les efforts à faire dans le domaine des tâches anciennement ressenties comme « indues » telles que les sorties d'écoles, ou l'assistance aux associations organisant festivités ou manifestations sportives ;
– par une meilleure coordination des acteurs publics d'État en matière de prévention, de présence et de proximité ;
– par des efforts partenariaux d'accueil ou de suivi des populations à risques.

L'État prévoyait pour cela des moyens importants :
• D'abord, les adjoints de prévention (20 000 en trois ans affectés à la police nationale et 16 000 volontaires affectés à la gendarmerie nationale). S'ajoutaient à ce dispositif les 65 000 aides-éducateurs pris en charge par le ministère de l'Éducation nationale. Les effectifs budgétés en 1998 n'ont jamais été atteints. Et les emplois jeunes n'ont été que partiellement maintenus par le gouvernement issu des élections législatives de 2002. Il en a été de même pour les 15 000 emplois jeunes, dénommés agents locaux de médiation sociale (ALMS), emplois pris en charge à 80 % pendant cinq ans par l'État et affectés aux collectivités territoriales, aux bailleurs sociaux, transports publics, associations de prévention, dont la mission de prévention, de présence et de

proximité a été précisée dans une circulaire parue début 1998.

Le dispositif du CLS venait ainsi compléter l'action de concertation des conseils communaux de prévention de la délinquance[1] (CCPD), la mission de cellule de veille, de dialogue et d'échange de ces derniers étant ainsi réaffirmée. Plusieurs centaines de ces conseils ont été mis en place mais seul un petit nombre fonctionne vraiment, les autres se perdant en monologues à caractère liturgique. La création d'un Conseil local de sécurité et de prévention de la délinquance (CLSPD) par le gouvernement, en mai 2002, pourrait permettre d'intégrer ces structures en un tout cohérent.

Fin 2003, 637 CLS (341 dans des départements très sensibles et 114 dans des départements sensibles) étaient en œuvre. Ces CLS, qui concernent près de 1 500 communes (23 millions d'habitants), sont majoritairement communaux mais également intercommunaux (218), transports (27) et de quartiers (5), et 672 CLSPD ont été créés.

Le CLS avait vocation à redonner de la transparence et de la lisibilité aux dispositifs policiers et judiciaires, et à agir sur le réel au-delà de la traditionnelle et limitée statistique. Enfin, une mission interministérielle devait assurer le suivi et la cohérence de l'ensemble de ces dispositifs.

Tout semblait donc fait pour que ce nouveau dispositif prépare l'État à prendre en compte ces partena-

1. En janvier 1998, il y avait en France métropolitaine 823 conseils communaux ou intercommunaux de prévention de la délinquance, dont 345 dans des zones couvertes par un « Contrat de ville ».

riats qu'il a contribué à mettre en place – ou qu'il a to-lérés – au fil des dernières années. L'expérience a montré que nombre de diagnostics se sont limités à quelques photocopies de circulaires nationales, ou de statistiques inutilisables. De plus, tiraillé entre un ob-jectif qualitatif et une pulsion quantitative, l'État a choisi de signer vite le plus grand nombre de CLS pos-sibles, sans se soucier vraiment de leur contenu.

Les premiers CLS signés à ce jour semblaient de qualité variable, notamment en matière d'analyse du sentiment d'insécurité – souvent oublié, parfois es-timé, rarement étudié. L'interrogation majeure sur la viabilité finale des CLS porte sur l'engagement des ser-vices de l'État, notamment en matière judiciaire.

• La police de proximité : depuis début 1999, le mi-nistère de l'Intérieur a lancé la mise en place de la nouvelle police de proximité, ce après une expérimen-tation remarquée (sur 5 sites pilotes, puis 59 sites com-plémentaires), lors de la réforme de la préfecture de police de Paris. Rompant avec la nature de police d'État privilégiant la défense des institutions et la ges-tion des manifestations de rue, cette réforme vise à mettre en place une véritable police nationale, chargée en priorité de la protection des personnes et des biens.

7 000 policiers et gendarmes devaient être redé-ployés dans des secteurs difficiles, puis dans toute la France, sur deux ans. Des effectifs doivent également être réaffectés à la police judiciaire de proximité et à la lutte contre la petite délinquance. Plus contesté, un effort de fidélisation d'unités de maintien de l'ordre (CRS, gendarmes mobiles) est également prévu, afin de mieux utiliser ces unités dans la durée. Les nouveaux

recrutements d'adjoints de sécurité et de gendarmes adjoints sont également affectés à la mise en place de cette politique, qui renoue avec la tradition de la police d'avant 1941. La difficulté de mise en place et la confusion dans l'exercice de missions polyvalentes ont été mises en lumière par plusieurs rapports des Inspections générales, et révélées par *Le Figaro*.

Par ailleurs, la coopération avec les polices municipales (près de 15 000 agents dont 41 % armés, dans plus de 3 000 communes) s'accélère et 2 314 conventions de coordination[1] étaient signées fin 2002 (1 611 avec la police et 703 avec la gendarmerie nationale).

3. **La loi relative à la sécurité quotidienne (LSQ)**[2]. – Cette loi « fourre-tout » avait pour ambition initiale de traiter les délits économiques et de lutter contre les trafics d'armes. À mesure des débats, se sont notamment trouvés modifiés :

– l'article 1ᵉʳ de la LOPS modifié donne ainsi un cadre législatif aux CLS ;
– l'article L. 2215-2 du Code général des collectivités territoriales, élargissant les responsabilités du maire dans « la définition des actions de prévention de la délinquance et de lutte contre l'insécurité » et prévoyant l'information régulière de celui-ci sur les résultats obtenus ;
– l'article 21 du Code de procédure pénale octroyant des compétences judiciaires aux adjoints de sécurité et aux agents de surveillance de la ville de Paris ;

1. Voir circulaire du 26 mai 2003.
2. Loi 2001-1062 du 15 novembre 2001, *JO* du 16 novembre 2001.

– l'article 211-11 du Code rural permettant l'eutha-
nasie des animaux dangereux ;
– les articles 23 et 24 de la loi du 15 juillet 1845 élargissant les compétences des personnels de contrôle
des transports publics et prévoyant des sanctions
pénales contre les fraudeurs chroniques ;
– l'article 126-1 du Code de la construction et de
l'habitation élargissant les moyens de lutte des bailleurs contre l'occupation des espaces communs des
immeubles d'habitation ;
– enfin, a été créé un article 23-1 obligeant les organi-
sateurs de « rave-parties » à déclarer en préfecture
les fêtes qu'ils comptent organiser.

De son côté, le gouvernement nommé après l'élection présidentielle de mai 2002 a engagé de nouvelles réformes structurelles. Mise en place d'un
Conseil de sécurité intérieure sous l'autorité du président de la République et doté d'un secrétaire général
permanent, le préfet Philippe Massoni ; passage de la
gendarmerie nationale sous l'autorité du ministre de
l'Intérieur. Enfin, création de 28 unités régionales de
répression de l'économie souterraine et des bandes
qui en vivent, les GIR (groupes d'intervention régionaux). Datée du 24 mai 2002, la circulaire interministérielle qui les fonde stipule que les GIR (qui asso-
cient policiers, gendarmes, magistrats, douaniers et
agents des Impôts) pourront être sollicités « sur des
sites déterminés, dans le cadre d'opérations contre
toutes les formes de délinquance endémique, de trafics locaux de stupéfiants, d'objets ou véhicules volés
ou recelés, d'actions violentes concertées, aboutis-

sant à la désorganisation de la vie sociale et entretenant dans la population un sentiment permanent d'insécurité ».

Les GIR sont devenus opérationnels le 10 juin 2002 ; 18 d'entre eux sont placés sous la responsabilité de la police (services régionaux de police judiciaire, PJ parisienne) et les 10 autres sous celle de la gendarmerie nationale.

En février 2004, les résultats des GIR sont les suivants :
– 737 opérations ;
– 5 600 interpellations et 1 700 mandats de dépôt ;
– saisie de plus de 600 armes (dont 17 pistolets-mitrailleurs, 7 mitrailleuses et un lance-flammes), de 3 t de cannabis, de 29 300 doses d'ecstasy, de 41 kg d'héroïne et de cocaïne, de 10 t de tabac de contrebande et de près de 8 millions d'euros ;
– découverte de plus de 600 voitures volées ;
– les opérations des GIR ont permis d'initier 589 enquêtes douanières et de faire 805 signalements fiscaux.

4. Les lois d'orientation et de programmation pour la sécurité intérieure (LOPSI) et la loi pour la sécurité intérieure (LSI)[1]. – Après un texte d'orientation très technique affirmant la politique à mener (LOPSI), la LSI, très important texte de plus de 140 articles mélangeant l'essentiel et l'accessoire, a permis d'élargir et de stabiliser les pouvoirs de police judiciaire, de légitimer les pouvoirs des OPJ en matière de procédure pé-

1. Loi 2002-1094 du 29 août 2002 et loi 2003-239 du 18 mars 2003.

nale, de développer les mesures de recherche contre les délinquants sexuels et de développer le fichier national des empreintes génétiques, d'accéder plus facilement aux informations automatisées ou informatisées, de créer une réserve de la police nationale, de lutter contre la prostitution, y compris le racolage « passif », de pénaliser l'occupation illicite d'espaces publics par les nomades, etc.

Il s'agit du plus important texte en la matière depuis la grande réforme du Code pénal appliquée à partir de 1994.

II. – Les réponses locales

1. **Les pouvoirs du maire.** – Autorité de police administrative, officier de police judiciaire, disposant de prérogatives de police spéciales, le maire possède des compétences étendues (mais géographiquement limitées) dans les domaines de l'ordre, de la tranquillité ou de la salubrité publique. Cette autorité s'étend également au respect des bonnes mœurs, à l'hygiène, au littoral pour les communes à surface maritime, mais aussi au sous-sol et à l'espace aérien, sauf quand l'autorité de l'État prédomine.

• En matière de compétences policières, la répartition constitutionnelle des pouvoirs assure à l'État une nette prédominance, même si la LOPS, la LSQ, la LOPSI et la LSI affirment le rôle du maire en matière d'association avec l'État pour la prévention de la délinquance et la lutte contre l'insécurité.

• En matière de circulation, le maire partage ainsi ses compétences avec le préfet, représentant de l'État, mais également (depuis 1982) avec le président du

Conseil général qui dispose de la police de la circulation sur le territoire départemental. Ils peuvent désormais intervenir pour constater les excès de vitesse (art. 2212-5 du CGCT), sauf sur les autoroutes.

• De plus, pour ses prérogatives de police spéciale, le maire ne peut contrecarrer l'action de l'État, mais juste l'amplifier (notamment en matière de spectacles, ou en cas d'urgence).

• Le maire dispose également de pouvoirs particuliers pour empêcher ou interdire les attroupements, et procéder aux sommations (art. 431-3 du Code pénal).

• En matière de vagabondage et de mendicité, les anciens articles 269 à 281 du Code pénal ont été abrogés par le Nouveau Code pénal. Seule l'incitation à la mendicité pour les mineurs est reprise (art. 227-20).

Suite à diverses interprétations contradictoires, le ministère de l'Intérieur a établi début août 1995 une circulaire s'appuyant sur l'article L. 2212-2 du Code des collectivités territoriales qui fixe les pouvoirs du maire en la matière. De plus, la circulaire étend l'interprétation de l'article L. 2213-4 du Code des collectivités territoriales permettant l'instauration de zones protégées dans les collectivités territoriales concernées.

Saisis après la mise en place de dispositions restrictives à Orléans, les tribunaux compétents ont autorisé ces mesures dès lors qu'elles n'étaient ni trop générales, ni trop longues[1].

---

1. À l'initiative de la nouvelle municipalité d'Orléans, ils ont été repris par nombre d'autres grandes villes.

• Vis-à-vis de la police nationale, le maire dispose de pouvoirs d'instruction basés sur les articles L. 2214-3 et 2214-4 du Code des collectivités territoriales, mais sans aucune autorité hiérarchique.

• En ce qui concerne la gendarmerie, le décret de 1903 prévoit diverses possibilités de réquisition par le maire. En cas de doute, il est référé à l'autorité hiérarchique supérieure, sauf nécessité urgente et absolue décidée par l'autorité civile demanderesse.

• La police municipale est placée directement sous l'autorité du maire. Sous cette même autorité, les gardes champêtres ont une vocation plus rurale, les pouvoirs de ces derniers étant plus étendus que ceux de la police municipale. Le maire peut aussi faire appel à d'autres agents ou gardes assermentés (Office national des forêts, garde-pêche), sans pour autant disposer d'une autorité hiérarchique sur eux.

Les articles L. 2211-1 et L. 2212-2 du Code des collectivités territoriales fixent les responsabilités principales du maire en matière de police.

Le maire est aussi le représentant de l'État dans sa commune, collectivité territoriale et circonscription administrative. Le maire est également officier de police judiciaire (art. 16 du Code de procédure pénale, repris par les articles L. 2122-24 et suivants du CGCT). Mais, s'il dispose de pouvoirs de police, ceux-ci ne sont pas exclusifs, et l'autorité supérieure peut se substituer à lui.

Bref : la relation entre le maire, la population et la sûreté est tout sauf claire. Ces obscurités tiennent pour bonne part aux normes juridiques et autres habitudes administratives françaises. L'étendue des pouvoirs exercés par le maire en la matière est donc autant affaire de volonté que source de compromis. Pour sa part, l'État sanctionne systématiquement tout débordement, notamment en matière de milices ou de polices privées, mêmes créées par arrêté municipal.

   2. **Les pouvoirs de la police municipale.** – Il apparaît clairement que le maire dispose de moyens larges, mais souvent incomplets, en matière de police municipale. Pour sa part, jusqu'à la loi 99-291 du 15 avril 1999, la police municipale ne disposait que de moyens subsidiaires, en partie renforcés par la LOPS du 21 janvier 1995. Certes, un statut relatif avait été fixé par la loi 66-493 de juillet 1966. mais il avait fallu attendre juillet 1987 pour que le Code des communes prenne en compte les missions des policiers municipaux et leur donne un cadre d'emploi.

   Divers décrets parus en août 1994 (94-731, 94-732) et en janvier 2000 (2000-43, 2000-44, 2000-45, 2000-46, 2000-47, 2000-48, 2000-49, 2000-50, 2000-51...), plus de nombreux arrêtés, ont précisé les conditions de formation, de recrutement et de statuts des policiers municipaux et de leur hiérarchie interne. On compte aussi 3 800 gardes champêtres placés depuis le décret de 1903, révisé en 1958 et en 2002, sous la surveillance de la gendarmerie nationale.

   Les agents de police municipale sont, depuis lors, non seulement nommés par le maire, agréés préalablement par le procureur de la République et assermentés en matière de police routière, mais également soumis à l'agrément du préfet. Le procureur et le préfet peuvent retirer cet agrément. Les agents recrutés avant la mise en application de la loi devront à nouveau demander l'agrément. En cas de refus, ils pourront être reclassés dans la fonction publique territoriale.

Les missions des agents de la police municipale restent fixées par l'article L. 2212-5 du Code général des collectivités territoriales : « Sans préjudice de la compétence générale de la police nationale et de la gendarmerie nationale, les agents de police municipale exécutent, dans la limite de leurs attributions et sous son autorité, les tâches relevant de la compétence du maire que celui-ci leur confie en matière de prévention et de surveillance du bon ordre, de la tranquillité, de la sécurité et la salubrité publiques. » La loi de 1995 avait déjà rajouté l'exécution des arrêtés du maire. La LSQ comme la LSI ont étendu ces prérogatives, notamment en termes de circulation, de stationnement, de nuisances sonores ou d'occupation illicite des halls d'immeubles.

En tant qu'agents de police judiciaire adjoints (APJA), ils peuvent dresser des PV dans la limite de leurs attributions (art. 21 du CPP) et sont soumis à l'autorité judiciaire dans ce cadre. Ils peuvent désormais, en plus, constater par PV les contraventions aux dispositions du Code de la route dont la liste est fixée par le décret 2000-277 du 24 mars 2000. Dans ce cadre et en cas de suspicion d'état alcoolique, ils peuvent également saisir un officier de police judiciaire (OPJ) policier ou gendarme, qui peut ordonner de lui présenter la personne concernée. De plus, la LSQ les autorise à intervenir pour lutter contre les animaux dangereux et errants (en application de la loi 99-5 du 6 janvier 1999).

Dans des circonstances spéciales et exceptionnelles, les agents de police municipale de plusieurs communes limitrophes ou appartenant à une même agglomération et uniquement pour des missions de police administrative, peuvent travailler en commun après autorisation du préfet. De plus, la loi relative à la démocratie de proximité parue au *JO* du 28 février 2002 permet désormais aux « communautés de communes et d'agglomérations » de recruter des policiers municipaux ou des gardes champêtres pouvant agir sur les territoires de plusieurs communes associées.

Enfin, alors qu'ils ne pouvaient pas procéder à un contrôle d'identité, les policiers municipaux peuvent désormais relever l'identité des auteurs d'une infraction (art. 78-6 du Code de procédure pénale) et saisir, en cas de refus, l'officier de police judiciaire compétent. Cette demi-mesure, qui ne permet pas encore aux policiers municipaux une véritable compétence, constitue une avancée technique.

Ils peuvent également procéder à des palpations de sécurité.

De plus, l'encadrement des policiers municipaux connaît une première évolution : le décret 2000-43 du 20 janvier 2000 crée un statut particulier de cadre de catégorie B. Cet encadrement avait longtemps été limité à des cadres de catégorie C, ce qui provoquait une profusion de recrutement de chargés de mission et autres emplois contractuels (de niveau A le plus souvent), pour gérer des polices de plusieurs dizaines d'agents. Même si cette avancée semble insuffisante, du fait du contentieux administratif concernant des contractuels de catégorie A, ou du mélange entre les hiérarchies (notamment en matière de police judi-ciaire), il faut souligner son caractère positif, dans une première étape en tout cas.

Par ailleurs, la loi d'avril 1999 précise des obliga-tions nouvelles, notamment en termes de visibilité et d'identification des policiers municipaux. Ils doivent ainsi disposer de cartes professionnelles, de tenues, de sérigraphie des véhicules de services permettant une identification commune sur tout le territoire des poli-ciers municipaux mais clairement différentes des ser-vices de l'État. Ce dispositif, qui permet de ne plus confondre les uns et les autres, crée, paradoxalement, une troisième force nationale de police en termes purement formels.

Si plus d'un tiers des policiers municipaux sont armés, la loi prévoit désormais qu'ils ne pourront conserver ces équipements qu'à la condition que leurs missions et des circonstances particulières le justifient. Dès lors, le préfet pourra les autoriser à disposer d'une arme mais uniquement si un règlement de coordination prévu par le décret 2000-275 du 24 mars 2000 a été signé, après avis du procureur, entre l'État et la collectivité locale concernée (si la po-lice municipale comporte au moins cinq agents, ce qui concerne 605 communes). Par contre, un maire ne peut être armé (décision du Conseil d'État du 21 no-vembre 2001, commune de Wissous).

Soulignons aussi qu'une commission consultative des polices municipales est créée près le ministre de l'Intérieur ; elle comporte un tiers de maires de com-munes disposant de polices municipales, un tiers de représentants de l'État et un tiers de représentants des organisations syndicales représentatives. Elle est présidée par un maire élu en son sein.

De même, le ministère de l'Intérieur pourra provoquer, après avis de la commission consultative, une inspection de l'organisation et du fonctionnement d'un service de police municipale.

Enfin, un Code de déontologie de la police municipale et le texte de l'assermentation seront publiés par décret, après avis de la commission consultative.

Après des années de flottement, d'ignorance ou d'initiatives avortées, le ministre de l'Intérieur a réussi a faire adopter un texte fondateur confirmant les avancées de 1994 et 1995, renforçant le statut et les structures de fonctionnement des polices municipales, harmonisant les formations et les parcours de carrière, et facilitant enfin l'activité des agents. Un texte qui renforce simultanément le rôle de l'État et de son représentant le préfet, lui donnant ainsi la stature nécessaire à un véritable contrôle d'une activité longtemps supplétive, mais dont la montée en puissance nécessitait une mise en ordre législative.

III. – Concrètement, que faire ?

1. **Avant tout : l'autorité publique est-elle si désarmée que ça ?** – Il ne le semble pas. Christiane Lazerges et Jean-Pierre Balduyck le font d'ailleurs fortement remarquer dans un rapport[1] publié au printemps 1998. Ce qui pèche, disent-ils à propos de « la

1. Mission interministérielle sur la prévention et le traitement de la délinquance des mineurs, *op. cit.*

prévention et le traitement de la délinquance des mineurs », ce n'est pas la loi, c'est le manque de moyens disponibles pour la mettre en œuvre.

Poussant plus loin leur analyse, ces deux députés constatent encore l'existence d'une véritable « chaîne de dysfonctionnements » qui va de la justice aux parents en passant par la police et l'Éducation nationale et produit par réaction en chaîne un « relâchement préoccupant du lien social ».

Comment resserrer ce lien ? Tout est naturellement affaire de volonté politique. En tout cas, et malgré ce que l'on entend dire ici et là sur l'impuissance à laquelle les autorités seraient réduites, la société dispose *hic et nunc* de tous les moyens nécessaires pour se défendre contre la délinquance. À preuve, les tableaux III et IV (p. 94-95).

Ajoutons que, au-delà des peines frappant les malfaiteurs eux-mêmes, le dispositif légal actuel permet aussi parfaitement de répondre à deux problèmes sérieux, qui reviennent sans cesse dans les doléances des élus et résidents des zones sensibles :

• Le caïdat dans les cités. Comment éviter que des « grands frères » n'utilisent des mineurs pour faire le guet, transporter de la drogue, etc. ? Appliquer fermement l'article 227-21 du Nouveau Code pénal (section V, « Mise en péril des mineurs »), qui prévoit que « le fait de provoquer directement un mineur à commettre habituellement des crimes ou des délits est puni de cinq ans d'emprisonnement et de 150 000 € d'amende. Lorsqu'il s'agit d'un mineur de 15 ans, l'infraction est punie de sept ans d'emprisonnement... »

Tableau III. – **La répression des infractions les plus fréquentes**

Nature de l'acte	Qualification juridique	Article du Code pénal	Peine
Destructions, dégradations ou détériorations	Délit	322-1	Deux ans d'emprisonnement 30 000 € d'amende
Idem, avec dommage léger	Contravention de 5e classe	R 635-1	1 500 € d'amende
Graffitis sur façades, mobilier urbain, voie publique et véhicules	Délit	322-1 al. 2	3 750 € d'amende
Jets de détritus ou dépôts de matériaux	Contravention de 2e classe	R 632-1	150 € d'amende
Abandon d'épaves, de déchets ou d'ordures (transportés par véhicules)	Contravention de 5e classe	R 635-8	1 500 € d'amende
Injure ordinaire	Contravention de 1re classe	R 621-1	38 € d'amende
Injure raciste	Contravention de 4e classe	R 624-4	750 € d'amende
Menaces	Contravention de 3e classe	R 623-1	450 € d'amende
Violences sans ITT	Contravention de 4e classe	R 624-1	750 € d'amende
Violences avec ITT ≤ 8 jours	Contravention de 5e classe	R 625-1	1 500 € d'amende
Bruits, tapages injurieux ou nocturnes	Contravention de 3e classe	R 623-2	450 € d'amende
Incendies (destruction, dégradation, ou détérioration d'un bien par substance explosive ou incendie)	Délit	322-6 et s.	Peines criminelles en cas de circonstances aggravantes et jusqu'à 150 000 € d'amende
Vols	Délit	311-3	Trois ans d'emprisonnement 45 000 € d'amende
Vols en bande	Délit	311-4	Cinq ans d'emprisonnement 75 000 € d'amende
Recel	Délit	321-1	Cinq ans d'emprisonnement 375 000 € d'amende
Deal	Délit	222-39	Cinq ans d'emprisonnement 75 000 € d'amende
Usage de stupéfiants	Délit	L 3421-1 (1)	Un an d'emprisonnement ou 3 750 € d'amende

(1) Code de la santé publique.

Tableau IV. – **La répression des infractions en milieu scolaire**

Nature de l'acte	*Qualification pénale*
Intrusions	Article R 645-12 du Code pénal (CP) Contravention de 5ᵉ classe (1 500 € d'amende)
Dégradations de biens (locaux, matériels)	Articles 322-1 à 322-6 du CP Jusqu'à dix ans d'emprisonnement et 150 000 € d'amende
Graffitis, incendie, etc.	Jusqu'à 75 000 € d'amende
Vols	Articles 311-3, 311-4, 311-8 du CP Jusqu'à vingt ans de prison et 150 000 € d'amende
Menaces sur les biens	Articles 322-12 et 322-13 du CP Six mois à trois ans de prison et jusqu'à 45 000 € d'amende
Menaces sur les personnes	Articles 222-17 et 222-18 du CP Jusqu'à cinq ans de prison et jusqu'à 75 000 € d'amende
Violences physiques	Article 222-13 du CP Jusqu'à sept ans de prison et 100 000 € d'amende
Racket	Articles 312-1 et 312-2 du CP Jusqu'à dix ans de prison et 150 000 € d'amende (voir aussi l'article 311-4 du CP, « Vols avec violence »)
Stupéfiants (trafic)	Article 222-37 et 222-39 du CP Dix ans de prison et 750 000 € d'amende

• Parents indifférents ou absentéistes. On pourrait dès aujourd'hui « responsabiliser » certains parents de mineurs délinquants. Car pèse sur eux la menace d'une peine de prison fort sérieuse – pour peu qu'existe, là encore, la volonté politique d'appliquer l'article 277-17 du Code pénal[1], lequel dispose depuis longtemps que « le fait par le père ou la mère légitime, naturel ou adoptif, de se soustraire sans motif légitime à ses obligations légales au point de compromettre gravement la santé, la sécurité, la *moralité* [c'est nous qui soulignons] ou l'éducation de son enfant mineur, est puni de deux ans d'emprisonnement et de 30 000 € d'amende ».

Deux ans de prison pour avoir placé un gamin dans une situation de danger moral ? Gageons que, pour des parents démissionnaires ou négligents (qu'il convient de ne pas confondre avec ceux que leurs propres enfants terrifient), le risque *sérieux* de passer ne serait-ce que *deux mois* derrière les barreaux pour ce motif éveillerait bien des consciences...

Risque *sérieux,* disons-nous. Car, en théorie, le procureur de la République de la Seine Saint-Denis a déjà « agité la menace » de l'article 277-17 devant des parents négligents de mineurs délinquants[2]. Mais, durant l'année 1997, les 24 parents poursuivis ont, dans les faits, été condamnés à « des peines allant de l'amende à la prison avec sursis ». Pourquoi ? « Notre but est pédagogique, assure le magistrat... L'objectif n'est pas de pénaliser un peu plus des familles dans une situa-

1. Sur ce thème, voir le dossier publié dans *Libération* du 16 avril 1998.
2. Voir « Des mesures déjà appliquées en Seine Saint-Denis », *Le Parisien* du 17 avril 1998.

tion sociale souvent difficile, ni même de les envoyer en prison pour avoir ensuite à placer les enfants. » Conscients de cette mansuétude, lesdits parents n'ont guère de motif concret de reprendre en main des adolescents qu'ils ne comprennent guère – et dont, souvent, ils ont peur.

Au début de l'an 2000, cependant, un changement s'amorce. À Mulhouse, la mère (âgée de 35 ans) de trois adolescents délinquants multiréitérants[1], et plusieurs fois mise en garde auparavant, est condamnée à un mois de prison ferme pour « manquement à ses obligations parentales » – le fameux article 227-17 –, ce, pour avoir « couvert les actes de délinquance » de ses fils. Quoi qu'on puisse penser de ce dispositif, il est étrange qu'une loi de la République puisse tomber en désuétude sans décision du peuple ou de ses représentants. Et tout aussi curieux qu'on s'étonne de son application par les tribunaux...

Ajoutons enfin un début d'évaluation des effets pervers des grandes modes éducatives du milieu des années 1970. Selon l'Observatoire sociologique du changement, les classes de niveau – largement répandues depuis la réforme de 1975 – « joueraient un rôle central dans la fabrication d'attitudes déviantes des valeurs promues par l'école et par la société ». Paradoxalement, nombre d'enseignants manifestent en faveur de classes hétérogènes, tout en prenant lo-

1. Voir « Une mère jugée pour ses fils délinquants », *Le Parisien* du 10 février 2000, ainsi que « Prison pour la mère des enfants mal élevés », *Libération* du 9 mars 2000, et « Un mois de prison ferme pour une mère coupable de défaut d'éducation », *Le Monde* du 10 mars 2000.

calement des mesures spécifiques pour les cas difficiles. Un grand écart qui, selon *Le Monde* du 6 février 2001, alimenterait les frustrations des uns, les pulsions disciplinaires des autres, et, donc, la violence au collège. Plus récemment, le sociologue Stéphane Beaud décrivait les ambivalences et les contradictions de la massification du lycée et le « mirage » du baccalauréat pour tous (*Le Monde* du 13 juin 2002).

2. **L'analyse locale de l'insécurité.** – Comme nous l'avons vu plus haut, les acteurs locaux de la sûreté urbaine se trouvent souvent confrontés à des difficultés de connaissance du réel et de maîtrise des moyens d'intervention. S'ajoute à cela l'évolution du cadre réglementaire et légal imposé par l'État, et la pression des nouveaux risques urbains. Voulue ou subie, cette responsabilité nouvelle a donc imposé à ces acteurs locaux de rechercher de nouveaux moyens de connaissance et d'intervention, comme par exemple l'audit de sûreté[1] urbaine.

Dépassant le stade des dispositifs purement techniques, les réponses préfabriquées ou encore la simple enquête de satisfaction, l'audit de sûreté urbaine doit s'attacher à reconstituer le réel. Il faut donc y intégrer des éléments statistiques sur la délinquance locale, ainsi que des indications diverses :

– demandes exprimées par la population (courriers, pétitions) ;

1. Sûreté = protection contre la malveillance ; sécurité = protection contre les risques naturels.

– rapports d'expériences de vecteurs sociaux de terrain ;
– expressions individuelles du sentiment d'insécurité ;
– éléments de représentation des problèmes de sécurité par les médias.

L'ensemble s'appuyant sur des éléments sociologiques ou criminologiques de référence.

Certes, l'expression de la volonté politique passe par l'action concrète. Mais, après un temps de satisfaction, la mise en place de solutions toutes faites ou l'application de programmes importés produit souvent de multiples effets pervers : échec de la formule, ressentiment de la population, gaspillage des crédits, inutilité des équipements... De plus, il convient d'éviter de décider sur une simple impression ou dans l'urgence d'une situation explosive.

Avant d'engager des investissements techniques ou humains, il faut donc systématiquement se doter des moyens de connaissance du réel. Mais ces moyens ne se trouvent pas « sur étagère ». Il faut donc entreprendre la recherche des indicateurs permettant de cibler les deux éléments principaux du diagnostic : le réel *connu* et le réel *vécu*.

• Le réel connu

Il permet de déterminer une base de travail, partant d'éléments partiels mais suffisants pour approcher des tendances. Cette base est réalisée à partir d'un document statistique, l' « état 4001 », établi par la police et la gendarmerie nationales (voir p. 43).

En complément, d'autres séries de données provenant d'institutions publiques (Affaires sociales, Éducation nationale, autorités régissant les transports, bailleurs sociaux...) doivent être intégrées au dossier « réel connu ».

Par ailleurs, d'autres sources d'informations pertinentes peuvent être trouvées :

– *Dans les rapports des services.* Souvent peu exploités, les rapports des services municipaux ou techniques (police municipale, agents de prévention ou de citoyenneté, personnels d'entretien et de réparation, personnels des services sociaux, scolaires ou des sports, rapports des agents des offices HLM, des sociétés de transports publics ou concédés, des CES...) peuvent permettre de compléter substantiellement la base de données déjà créée.

– *Et dans le courrier des administrés ou usagers.* Souvent (et à tort) traité à l'unité, il peut être analysé et classé, et ainsi à la longue générer une base statistique permettant de fixer la cause, le lieu et les détails des problèmes que ce courrier évoque. Si la fiabilité des informations est relative, ces lettres permettent une identification des « victimes » et une connaissance approfondie des faits. Il s'agit là d'une approche fondée sur le concept de « tranquillité publique » plus que sur celui de sûreté.

• Le réel vécu

Il permet de reconstituer la trace des actes non enregistrés, des situations relevant de la simple contravention, ou des actes d'incivilité. Parmi les techniques en usage :

– *L'enquête de victimation* (voir p. 45).

– *Le sondage.* Il peut être quantitatif, qualitatif ou mixte. Intégrant des questions ouvertes et fermées, il permet de déterminer l'état des sentiments de la population sur les questions de sécurité et fixe l'ampleur du sentiment d'insécurité. Le sondage aide également à approcher le niveau de satisfaction de la population, face aux actions de prévention et de répression. En général, ce niveau se situe entre (au mieux) : « On ne sait pas ce qu'ils font, mais ils doivent faire quelque chose », et (au pire) : « Ils donnent notre argent aux délinquants. » L'option « on sait ce qu'ils font et c'est bien » est inexistante...

– *L'enquête de terrain.* Elle permet de mesurer la construction de l'insécurité :

– en déterminant d'abord des quartiers choisis pour leur délinquance connue (un quartier très touché, un quartier moins atteint ; un quartier périphérique, un quartier central) ;
– puis en y choisissant pour les questionner des vecteurs sociaux identiques (travailleurs sociaux, médecins, infirmières, pharmaciens, chauffeurs de bus, de taxi, policiers de terrain, policiers municipaux, responsables de collèges, groupes de retraités...).

Ajoutons à ce qui précède la recherche d'éléments factuels tirés des médias locaux (PQR) et municipaux.

– *L'analyse spécifique locale ou cible sociologique.* Un paramètre précis (les dégradations de biens publics, par exemple) peut permettre de réaliser une enquête très ciblée. Autre méthode possible : pour en faire l'objet d'une étude, on peut par exemple isoler certaines catégories de la population (personnes âgées, scolaires, mineurs...), plus menacées que la moyenne de référence.

– *La cartographie de la délinquance*. En reprenant tous les éléments de la réalité, on peut fixer sur une carte à échelle réduite les différents éléments recueillis.

– les équipements publics, parcs de stationnement, circuits de transport urbain, commerces à risques, zones d'habitat social ;
– les actes recensés par catégories, les zones d'insécurité, la délinquance réitérante.

Pour ce faire, on doit également disposer des découpages administratifs (souvent incohérents les uns au regard des autres) : INSEE, quartiers de la ville, îlots « 4001 » police, secteurs de la police municipale...,
Enfin, ce dispositif doit être remis à jour régulièrement. Il nécessite une coopération active et régulière avec les services de l'État et la mise au point d'un système planifié de rendez-vous de mise à jour.

3. **La prévention réaliste.** – Qu'elle soit dite « sociale », « de la récidive » ou « situationnelle », la prévention est censée représenter l'alpha et l'oméga de la lutte contre l'insécurité. Pour autant, il ne semble exister aujourd'hui en France aucun dispositif de corrélation des actions de prévention avec la réalité de la délinquance – encore moins de dispositif d'évaluation des opérations engagées.
Exposons donc d'abord la logique fonctionnelle et administrative de tous les dispositifs engagés, pour y déceler le hiatus entre la raison invoquée pour mettre l'opération en œuvre et la réalité de son application concrète. Ensuite, reste à analyser la cohérence des actions engagées avec le réel défini précédemment.

Ainsi, dans les cas de villes-centres où l'on recense souvent une délinquance d'importation (jeunes malfaiteurs de la périphérie utilisant le réseau de transport urbain pour venir en centre-ville), est-il fort intéressant de constater l'inanité de mesures de prévention qui ne s'appliquent qu'à la population de la ville et non pas à celle de l'agglomération exportatrice.

De même certaines opérations de prévention de la délinquance, dans lesquelles on organise, le temps des vacances, le déplacement de « jeunes à problèmes », parfois à l'étranger, sont-elles en réalité ressenties par une partie de la population comme une « prime » à la délinquance, ce qui produit des effets désastreux en termes de communication.

Il faut aussi être attentif à la réception, au traitement et à l'information des victimes qui, souvent, ne sont pas accueillies convenablement et ne ressentent ni compassion ni assistance de la part des services de l'État.

Après cette phase initiale de remise en ordre, il est nécessaire d'assurer une coordination et une mise en cohérence du dispositif préventif local avec les autres partenaires possibles : Éducation nationale, bailleurs sociaux, transports, zones commerciales ; ainsi qu'avec la police nationale et le procureur de la République – le tout dans une optique intercommunale.

4. **Des moyens techniques et humains respectant les libertés individuelles et publiques.** – Une fois la connaissance du réel assurée et la mise en ordre des dispositifs de prévention effectuée, il est possible de

déterminer les moyens d'une politique cohérente. Qu'il s'agisse du choix des objectifs, des personnels ou des équipements à mettre en place, des dispositifs de contrôle et d'évaluation à installer, il est d'abord indispensable de se mettre en conformité avec la loi.

Or, s'il existe des professionnels du gardiennage (plus ou moins encadré par une loi de 1983 d'ailleurs incomplète) et de la télésurveillance (que la Commission des clauses abusives essaie de moraliser), les métiers de l'audit et du conseil en sûreté locale restent inorganisés.

Alors que la déontologie impose d'étudier une situation et de proposer une solution, non de trouver les meilleurs moyens de placer son catalogue, nombreux sont encore les équipementiers pour qui l'audit ne sert en réalité qu'à vendre un produit.

De même, l'absence (provisoire) de dispositifs de qualification ou de certification des conseils en sûreté ne permet pas d'identifier clairement les opérateurs et provoque un certain nombre de déceptions, parfois coûteuses.

C'est ainsi que les matériels techniques (de surveillance, etc., souvent importés) nécessitent des adaptations au site envisagé et une bonne connaissance de leurs possibilités technologiques : la sûreté ne peut être considérée uniquement comme une affaire de dispositifs à courant faible et laissée aux bons soins de l'électricien du coin...

• En matière de contrôle d'accès, il convient :

– de respecter la loi de 1978 (CNIL) et le Code du travail ;

– de disposer d'équipements respectant la réglementa-
tion sur l'incendie et l'évacuation (sécurité positive,
asservissement au système de détection incendie...) ;
– de prendre en compte, enfin, les effets secondaires
du système (allongement de la durée d'accès, temps
nécessaire à la création ou au remplacement des
badges, vulnérabilité des lecteurs classiques, re-
production possible des badges à support magné-
tique, complication pour l'accès des fournisseurs
ou des visiteurs, nécessité de gérer le système avec
du personnel formé et disposant de moyens de
fonctionnement).

• Pour la détection d'intrusion, il est nécessaire de
reconnaître le site concerné, en définissant :

– une périphérie (zone extérieure) ;
– une périmétrie (première zone d'accès interne) ;
– un compartimentage permettant de disposer d'une
alarme le plus tôt possible et de contenir l'intrusion
si celle-ci devait malgré tout se produire.

Les équipements doivent prendre en compte :

– l'implantation extérieure (évolutions climatiques,
animaux, brouillard, amplitude thermique) ou intérieure (bitechnologie infrarouge/chaleur et hyper-
fréquence/mouvements) ;
– les emplacements et les capacités (360°) ;
– l'autoprotection ;
– le lien avec une centrale d'alarme permettant des
modifications par zones et par horaires, en fonction
de la configuration et de l'utilisation du site.

• Pour la télésurveillance, il est nécessaire de fixer le niveau d'intervention souhaité :
– télésurveillance simple (constatation de l'alarme et information à un numéro décidé préalablement) ;
– télésurveillance avec levée de doute (audio ou vidéo) ;
– télésurveillance avec intervention (d'un agent de la société).

En la matière, le client doit s'assurer de la capacité du fournisseur à intervenir suivant les règles définies par les assureurs (APSAD) ; ainsi qu'au respect par celui-ci de la loi de 1983 et du décret de 2002 (ci-dessus mentionné) :
– niveau P2 ou P3 de la centrale de gestion et validité du certificat délivré ;
– certificat en cours de validité et du niveau d'assurance en responsabilité de la société retenue.

Il convient également :
– de vérifier la répétition du test cyclique de ligne permettant de garantir la transmission de l'alarme (voir décision de justice « Lynx Alarme ») ;
– ou de se connecter au réseau Transveil ou équivalent, dans des conditions plus sûres mais plus onéreuses.

• Très à la mode, la vidéosurveillance nécessite une attention toute particulière.
D'abord, en raison de l'application depuis le 20 avril 1997 de la LOPS, qui impose une demande d'autorisation préalable auprès d'une commission préfectorale.

Ensuite, parce que la vidéosurveillance ne résout pas les problèmes d'insécurité. Elle ne peut avoir d'effet que sur un objectif précis (surveillance d'un parking ou d'une entrée d'immeuble), dans des conditions techniques longuement étudiées (fonction de jour ou de nuit, zoom, tourelle ou dôme...), et à condition de bénéficier d'une structure de fonctionnement adaptée (PC de gestion, qualité des liaisons, équipe mobile et rapide d'intervention...).

Bien qu'en plein développement, cette technologie ne peut être utilisée que dans un esprit clair de respect des droits des citoyens et des libertés publiques.

• En partie moralisé par le texte de 1983, le recours aux sociétés de gardiennage nécessite de se prémunir en vérifiant :

– que l'agrément prévu par la loi de 1983 a bien été accordé au fournisseur par la préfecture concernée ;
– que les personnels et les sous-traitants disposent de casiers judiciaires vierges ;
– et que les obligations sociales de lutte contre le travail clandestin sont bien observées.

De même convient-il de se faire délivrer une copie du certificat d'assurance de la société de gardiennage, en vérifiant sa validité.

Dans certains cas, on peut utiliser un vieux texte juridique remontant à messidor an III, repris par l'article 29 du CPP, prévoyant la mise en place d'agents assermentés (gardes particuliers), statut qui renforce leur pouvoir de constatations des faits (notamment dans les groupes HLM).

• Pour les services de police municipale, et au-delà des limitations de pouvoirs indiquées par les textes en vigueur, il convient de considérer leur action dans le cadre normal des services publics municipaux – et pas comme une garde prétorienne.

Les polices municipales doivent remplir des missions de présence, de visibilité et de proximité, rendre des services à des catégories stratégiques de la population (enfants d'âge scolaire, personnes âgées...). Leur formation doit être spécialement étudiée (avec le Centre national de la fonction publique territoriale, CNFPT) et leurs moyens de protection personnelle assurés avec discernement. Exemple : leur armement est-il toujours indispensable ?

Les polices municipales doivent aussi rester mobiles : la création de structures fixes nombreuses (postes...), au coût en budget et en effectifs prohibitifs, devrait être abandonnée. De même convient-il de différencier l'uniforme des agents chargés du stationnement de celui des policiers en charge de l'îlotage – qui doit privilégier une logique opérationnelle tournante.

• La pérennisation des emplois jeunes et nouveaux métiers de la sûreté (agents locaux de médiation sociale) permet également de répondre à des besoins forts en matière de sûreté et de lutte contre le sentiment d'insécurité.

– l'expérience des correspondants de nuit à Rennes ;
– la mise en place progressive, dans les réseaux de transport (notamment scolaire), d' « Amis » (à Lyon) ou de « Grands Frères » permet également

de réintroduire le deuxième agent dans les véhicules. Au-delà des considérations strictes de sécurité, cela soulage en sus le chauffeur qui, en réalité, exerce souvent trois métiers (conducteur, receveur, contrôleur). Ce de surcroît dans des bus à trois portes, plus longs qu'auparavant.

• Les aides-éducateurs de l'Éducation nationale ont également pour vocation de remplir des missions de présence, de visibilité et de proximité, même si les limites géographiques de leurs interventions (intérieur des établissements) ne permettent pas de résoudre les problèmes d'environnement proche du lycée ou du collège.

Pour conclure sur les moyens techniques et humains, regrettons que le capharnaüm créé par l'accumulation quasi anarchique des mesures et le caractère souvent marginal des actions engagées (saupoudrage, manque de concentration, trop grande mobilité des engagements en fonction des évolutions enregistrées) ne permette pas encore d'évaluer clairement l'efficacité générale de ces mêmes moyens.

Il faudrait donc assurer la cohérence des actions de présence et de proximité, grâce à une réflexion globale sur les actions, les zones géographiques et les horaires d'intervention des personnels concernés (agents d'ambiance, de citoyenneté, éducateurs sociaux, médiateurs...).

Mais, pour anticiper ou gérer les problèmes de sûreté urbaine, il importe de disposer de relais sociaux : cellule de veille décentralisée et cellule de crise.

• Cellule de veille

Reliée au cabinet du maire ou du directeur général de la structure concernée (HLM ou transports), cette structure se doit de disposer d'informations utiles et de relais sociaux sur chaque site.

Les informations collectées par cette cellule doivent comprendre les éléments factuels (rapports, courriers...), les articles de presse, les listings, ainsi que les coordonnées à jour des personnels sur site et des services d'intervention extérieurs. Il faut aussi à la cellule les coordonnées des représentants de l'État (préfet, police, justice, Éducation nationale, services sociaux...).

Cette cellule de veille doit animer des réunions restreintes régulières avec des correspondants locaux issus des services de proximité, mais également avec certains commerçants ou professionnels en contact direct avec la vie du site. Elle doit fonctionner en permanence.

• Cellule de crise

Composée des membres permanents de la cellule de veille, cette cellule doit disposer des moyens opérationnels de fonctionnement (locaux, moyens de communication...) ; elle doit aussi avoir conçu une méthodologie souple permettant de préserver le responsable principal ; elle doit encore savoir hiérarchiser la gravité des crises ; il lui faut enfin disposer des relais locaux comme moyens de communication, mais aussi de médiation.

• Le responsable local doit enfin disposer d'un appareil de communication interne et externe cohérent. Le *nec plus ultra* de la communication en matière de sûreté vise à saturer le terrain par des actions ou des services rendus et à ne plus communiquer spécifiquement sur les problèmes de sûreté. Il faut également éviter l'absence de communication en réorientant celle-ci vers des actions et des acteurs positifs.

Si le refus de reconnaître les faits durant une période assez longue a été mal ressenti par la population, il faut alors passer par un acte fort de contrition ou de reconnaissance de la véracité des problèmes, en une seule et unique fois.

Ici, la communication doit s'appuyer sur les éléments recueillis dans la phase d'audit, qui nuancent généralement les résultats obtenus grâce aux dispositifs de lutte contre la délinquance (s'ils existent) et redisposer l'ensemble selon la logique suivante :

– Dialogue local, par le lancement de plusieurs petits groupes de travail se réunissant trimestriellement et rassemblant des commerçants, pharmaciens, médecins, etc., sur la base géographique des quartiers. L'objectif de ces groupes de travail serait d'abord l'écoute et la veille, mais également la production de projets décentralisés permettant de mettre en commun les énergies et d'associer ces mêmes vecteurs sociaux à la mise en place de la politique municipale en la matière. Il ne s'agit pas de créer des « petits CCPD » (Conseil communal de prévention de la délinquance), mais d'élargir la capacité de dialogue de la ville, de faire partager le lancement des actions menées, de faire connaître et comprendre sa politique.

– Communication interne :

Cela implique de susciter une approche unifiée de la communication sur les problèmes de sécurité au sein des organes internes de la ville. Une telle stratégie d'unification permet de mettre en avant la notion de service public, plus que celle de lutte contre l'insécurité :

– assistance aux personnes âgées lors des transactions financières qu'elles opèrent à La Poste ou dans les banques (en coopération avec celles-ci) ;
– visibilité renforcée de la police municipale aux entrées et surtout sorties d'établissements scolaires (avant tout les collèges), en accord avec l'Éducation nationale et la police nationale ;
– renforcement de la visibilité et de la présence de la police municipale sur des sites ciblés, et dans des conditions étudiées (hors problèmes lourds de toxicomanie) ;
– mise en place ou renforcement d'opérations été tranquille pour les habitants quittant la ville pendant les vacances et souhaitant une surveillance par rondes de leurs habitations ;
– opérations diverses de services rendus à la population par la police municipale en « positivant » son rôle et ses missions de proximité.

– Communication externe :
Hors du dialogue classique avec les médias locaux, il faut définir les orientations de communication externe de la ville :

– projets et missions de sûreté urbaine (en positif) ;
– réaction à des faits divers ou du développement de l'insécurité.

S'il n'est pas utile que la ville développe en interne un discours lié aux statistiques de la délinquance, elle doit préparer une communication cohérente lorsque la presse fait état de telles données, et lier systématiquement cette communication aux actions positives qu'elle développe. Ces divers éléments nécessitent un approfondissement politique, et doivent engager fortement les élus ou les décideurs.

IV. – **Des pistes positives**

Des expériences positives sur deux « fronts » de l'insécurité urbaine :

1. **Exemple de plan complet de sécurisation d'un réseau de transports urbains.** – Cette grande entreprise régionale de transports accueille 1 million de voyageurs par jour, dont la moitié en surface et l'autre en souterrain. Elle dispose de lignes de métro, de lignes de bus et de tramway et emploie 3 500 personnes.

L'entreprise de transports propose une offre commerciale très diversifiée : clientèle individuelle ou familiale, régulière ou touristique, aisée ou modeste, scolaire ou du troisième âge. Cette politique commerciale vise à générer un flux de voyageurs plus nourri et mieux réparti : une fréquentation accrue exerce à son tour une influence positive sur le sentiment de sécurité.

• Personnels de terrain

Le réseau ne disposant pas de forces de police spécifiques à son espace, la société a mis en place plus de 300 agents présents sur le terrain :

– 120 agents de ligne dans le métro ;
– 80 agents chargés du contrôle ;

- 150 agents de maîtrise en surface ;
- 33 agents d'intervention du service central de sûreté ;
- 40 étudiants et 10 emplois ville pour des opérations de contrôle préventif ;
- 130 agents d'accueil et de médiation occupés par les bénéficiaires du RMI.

Tous les dispositifs mis en place dépendent d'une même direction.

Cependant, chaque unité (centrale, métro, bus) dispose d'une relative autonomie de décision et de gestion. Chaque unité est ainsi responsable du suivi du taux de fraude, du respect du taux de contrôle et de l'ensemble des tableaux de bord, en liaison avec l'unité centrale.

Des commissions de sécurité, centrales et par unité, se tiennent régulièrement. Elles réunissent les interlocuteurs de la police, de la gendarmerie, des polices municipales, mais aussi des élus locaux, des intervenants sociaux et des associations.

Ces unités décentralisées obéissent à une logique de proximité. Elles assurent une présence active, préventive et dissuasive sur le réseau et ont pour objectif l'occupation et la saturation du terrain par une présence humaine aussi dense que possible. 33 agents d'intervention sont ainsi présents sur l'ensemble du réseau ; ils se répartissent en fonction de l'évolution des incidents. 120 agents de ligne sont présents en poste fixe dans les stations.

Le réseau est organisé en sites qui regroupent une, deux ou trois stations en fonction de leur importance.

Chaque site dispose d'un ou deux agents. Ces agents de ligne ont pour fonction le contrôle des points techniques, la présence, le renseignement. Ils disposent de bureaux (toujours ouverts) sur les quais et sont ainsi toujours accueillants pour les voyageurs.

• Dispositifs centraux de prévention

Les agents d'information et de médiation ont pour fonction :

– d'assurer une présence humaine renforcée sur le réseau ;
– de jouer un rôle de médiateurs en cas de tensions ;
– de renseigner les clients et de leur apporter des services de proximité (poussettes, enfants, etc.).

Le recrutement de ces agents se fait en collaboration avec le Conseil général et dans un cadre associatif.

Dans le cadre des emplois été, des contrats de travail ont été passés avec les jeunes des quartiers les plus difficiles. Ainsi ces jeunes sont-ils amenés à travailler le matin et à recevoir l'après-midi une information sur l'entreprise dispensée par les agents de maîtrise. Quant à eux, ces jeunes ont ainsi pu découvrir les aspects de l'entreprise qu'ils ignoraient et aborder sous un jour nouveau des agents qu'ils connaissaient parfois auparavant. De retour dans leur relation quotidienne, les uns et les autres se retrouvent donc, de fait, dans la position de médiateurs.

De même, les opérations vidéo sont organisées tous les étés. Elles permettent notamment de créer des relais avec des jeunes des quartiers difficiles, qui développent ainsi une meilleure image d'eux-mêmes.

Mais cette autonomie de gestion des unités ne va pas sans un organe de contrôle central qui assure la cohérence des actions et réactions et agrège des résultats communs.

L'effort mené par la société en matière de connaissance de son réseau et de son environnement est, de ce fait, très important. Il est mené par une unité centrale dégagée de la gestion quotidienne. Des tableaux de bord complets sont ainsi établis, qui permettent de vérifier l'équité de traitement de tous les sites et la qualité de leur gestion.

Chaque unité reçoit ainsi tous les matins un fax d'information sur les dysfonctionnements de la veille sur l'ensemble du réseau. Une page d'information est également distribuée dans chaque site deux fois par mois. Enfin, une note d'information sur le suivi des agressions dont des agents du réseau ont été victimes est régulièrement portée à la connaissance des responsables d'unité. Toutes ces informations sont ensuite communiquées en commission de sécurité.

La société publie par ailleurs un baromètre mensuel de sécurisation, qui permet de suivre l'évolution du sentiment d'insécurité éprouvé par le personnel. Un questionnaire est également disponible dans la salle d'attente de la médecine du travail, ce qui permet aux agents venant consulter le docteur d'occuper leur temps d'attente en le remplissant. Cela donne un sondage portant sur environ 50 agents par mois.

L'autonomie et la diffusion d'informations ne vont pas non plus sans une politique fort attentive de gestion du personnel.

Une formation à la sécurisation destinée aux conducteurs, agents de maîtrise, contrôleurs est ainsi organisée en permanence par petits groupes. L'objectif de la direction est d'en faire bénéficier l'ensemble des agents sur trois ans. Cette formation dure quatre jours et traite :

– de la gestion des tensions ;
– de la connaissance des cultures ;
– et des techniques de prévention des conflits.

Ce stage est suivi, deux mois plus tard, d'une séance d'analyse de la pratique acquise sur le terrain.

Mais la formation n'est pas l'unique souci de la gestion du personnel qui passe aussi par une politique volontariste de flexibilité au sein de l'entreprise. Les chauffeurs de rames et de bus sont ainsi formés pour effectuer des contrôles à temps partiel. Cette pratique leur permet d'aborder des situations tendues avec plus de sérénité et de savoir-faire.

Des opérations de valorisation des conducteurs ont aussi été menées, telle l'opération « conducteur polyglotte ».

La gestion du personnel passe aussi par un suivi précis des procédures engagées par l'entreprise, dans les cas d'agression de personnels. Lorsqu'un employé est agressé, et que le contrevenant est condamné, l'entreprise paie immédiatement le montant de l'indemnité à la victime, afin que l'agent bénéficie de la réparation, quelle que soit par ailleurs la solvabilité du condamné. La réparation devient ainsi un outil de remotivation du personnel. Cette action est en général suivie par la prise en charge, par l'entreprise, des soins psychologiques des victimes.

Cette qualité dans le contact apparaît en effet essentielle au maintien d'un sentiment de maîtrise du territoire. Ainsi, une enquête a montré que les chauffeurs de bus étaient appréciés par plus de 80 % des clients. Cette information diffusée a provoqué un meilleur comportement de ces agents avec un public qu'ils pensaient hostile.

Le risque majeur ressenti par la direction de la société est en effet la dérive possible des agents (chauffeurs, agents de maîtrise et contrôleurs) au contact quotidien de populations difficiles. Le travail réalisé en matière de gestion du personnel a donc pour but de prévenir tout risque de dérapage.

La société entretient de bons rapports avec la police. Ses envoyés participent ainsi régulièrement aux commissions de sécurité (organisées de manière centralisée ou par unité), ce qui permet de mener des actions conjointes. Ainsi, des opérations de contrôle des titres de transport sont organisées, avec la police nationale en support, dans des opérations « coup de poing » de quelques heures.

La durée de ces opérations est limitée afin de ne pas déclencher de réactions de groupes dans les quartiers difficiles, mais, pour autant, elles servent à « marquer le territoire » sans provoquer. Lors de ces opérations, les contrôleurs sont toujours distants et distincts des forces de police. Par ailleurs, la lutte contre la fraude est considérée comme un élément de la sécurisation des réseaux et de la motivation du personnel.

Dans le cadre des contrôles préventifs, 10 bénéficiaires d'un emploi ville vérifient les titres de transport des passagers qui passent à proximité de distributeurs, puis, en cas de besoin, les incitent à payer leurs billets.

Des campagnes de lutte contre la fraude sont également menées avec l'aide des étudiants, sur le même principe. Des agents se déplacent enfin au domicile des réfractaires afin d'envisager des solutions à l'amiable. Cette procédure donne de réels résultats, dans la mesure où il est tenu compte de la situation réelle des contrevenants, mais qu'un paiement – même symbolique – est tout de même effectué. Un effort d'information permet de disposer d'un fichier des fausses adresses.

La société organise deux fois par an une conférence de presse sur les résultats obtenus en matière de sécurisation de son réseau. De même, une enquête de satisfaction des clients a lieu tous les ans. Il en ressort approximativement 40 % de sentiment d'insécurité avec un pourcentage supérieur chez les hommes et le soir. Une enquête dans un journal local a par ailleurs permis de classer les lieux où la population se sent le plus en insécurité : le métro est en deuxième place après les parkings, alors que les bus, considérés comme sûrs, se situent très loin dans le classement.

Ces données ne sont donc pas cachées, mais tout au contraire délibérément diffusées pour rebondir et relancer les efforts en matière de sécurité, ce qui permet :

– en interne, d'informer clairement le personnel ;
– en externe, de développer les procédures de coopération dans le cadre des commissions de sécurité.

Une étude particulière est menée pour la mise en place du composteur de ticket dans les bus non pas derrière le conducteur mais devant lui, pour mieux lui permettre d'assurer sa fonction de maîtrise des accès et de visualisation des actes de fraude éventuels. Cette opération est complétée par d'importantes campagnes de communication en amont, notamment en milieu scolaire. De même, une réflexion vise à réduire le nombre d'accès dans les bus en réduisant à deux portes (une entrée / une sortie), ce qui va à l'encontre d'une politique de fluidification des accès menée depuis une dizaine d'années, qui banalisait la porte centrale et ne permettait plus de contrôler les entrées et sorties dans le véhicule.

En revanche, la situation du chauffeur/receveur/contrôleur, assumant seul trois métiers différents, n'est pas encore totalement clarifiée, ce pour des raisons de coûts structurels. Mais la réapparition d'agents d'accompagnement sur les lignes difficiles tend à faire évoluer fortement la réflexion sur ce sujet.

2. **Exemple de plan de sécurisation d'un ensemble de résidences HLM sis dans une métropole régionale.** – Dans un quartier sensible d'une grande ville de province regroupant environ 3 000 logements et plusieurs bailleurs sociaux (offices publics HLM et SA HLM), de nombreuses dégradations et des nuisances diverses avaient fragilisé les relations entre habitants, jeunes et services publics.

La création de correspondants de nuit est donc décidée pour assurer des tâches de présence, de visibilité, de proximité et d'intervention. Sous forme d'équipes mobiles, disposant d'une tenue reconnaissable et équipés de téléphones portables, ces agents ont des missions de maintenance préventive, de petite intervention matérielle (ampoules, serrures, etc.) et d'intervention pour éviter les conflits entre habitants. Ces personnels ne sont pas armés.

Une première phase d'approche d'une année a été suivie d'une interruption d'une année consacrée à l'analyse, à l'évaluation du projet, notamment grâce à la consultation des habitants ; enfin, à la mise en place d'un service modifié. Les équipes assurent désormais des tâches de médiation, de signalement des dégradations, de vigilance et de petits dépannages. Ces missions sont désormais coordonnées avec des intervenants publics divers (police nationale, SAMU, pompiers, services sociaux, ville, bailleurs...).

Les agents sont choisis par un jury désigné par les différents acteurs locaux. Ils suivent des formations spécialisées animées par ces mêmes acteurs. Des dispositifs permanents d'évaluation et de contrôle ont été mis en place. Des comptes rendus quotidiens sont rédigés. Un comité composé par des habitants représentant les locataires permet de moduler les interventions et de redisposer les équipes.

Un comité technique composé des financeurs analyse les actions et contrôle le coût du système. Enfin, un groupe spécialisé composé de médecins, psychologues, acteurs sociaux... suit les agents, s'assure de leur équilibre nerveux et développe la formation permanente.

Le dispositif est clairement séparé de toute fonction de gardiennage. Il ne se confond pas non plus avec des fonctions d'auxiliaire de justice. Il repose sur une forte concertation avec les habitants et les opérateurs publics concernés, tout en évitant la confusion des genres. Il permet la mise en place d'un dispositif partenarial permettant de suivre les évolutions du service à tous les niveaux : habitants, financeurs, opérateurs sociaux, services et autorités publiques.

Il faut noter que la forte implication multiservice des correspondants (médiation, prévention et activités techniques) lui donne son style, sa place particulière, et que cette implication ne relève pas du faux, semblant mais constitue bien un élément essentiel du projet. Les dispositifs décrits ci-dessus peuvent en outre s'appuyer sur des régies de quartier.

Il est enfin à noter que ce type de service est plutôt de nature préventive, dans le sens où il n'est vraiment efficace que dans des zones dont la situation est encore suffisamment stable pour qu'il soit accepté.

D'autres opérations s'appuient sur des équipes de gardiennage extérieures, essentiellement pour des raisons de reconquête territoriale dans des îlots HLM dont la situation est particulièrement dégradée. Ces opérations de « sécurisation » peuvent se combiner avec des dispositifs techniques ou technologiques (télésurveillance, vidéosurveillance, domotique) qui doivent trouver leur justification en fonction des risques recensés et du niveau d'acceptation de la population.

L'efficacité de tous les dispositifs repose sur une augmentation forte de la présence humaine dans les lieux « sensibles » et sur une réelle clarté dans la définition du rôle des personnes visiblement en charge de ces fonctions.

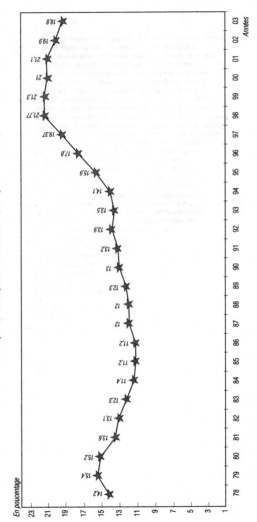

Annexe 1 – Mineurs (moins de 18 ans) mis en cause
(1978-2003, tous crimes et délits)

Annexe 2 – Comparaison faits-personnes, 1950-2003

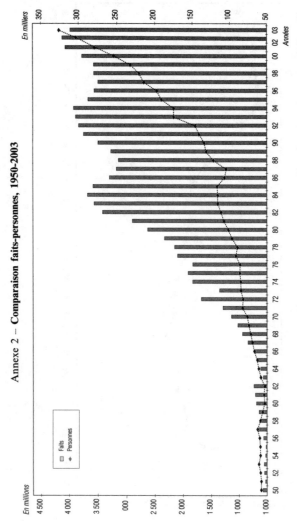

Comparaison entre les données (connues) de délinquance générale et, à l'intérieur de cet ensemble, les chiffres des atteintes (connues elles aussi) sur les personnes (coups et blessures, agressions, etc.). Cette comparaison ne prend pas en compte les nouveaux agrégats « Violences aux personnes » et « Confrontation avec l'auteur » mis en place par l'Observatoire national de la délinquance à partir de 2004.

Source : Études d'Alain Bauer.

ORIENTATIONS BIBLIOGRAPHIQUES

Bachmann Christian et Coppel Anne, *Le dragon domestique*, Albin Michel, 1989.

Bachmann Christian et Leguennec Nicole, *Violences urbaines*, Albin Michel, 1996.

Bauer Alain, « Où sont les policiers ? », *La Gazette des communes*, février 1998.

Bauer Alain et Ventre André-Michel, *Les polices en France*, PUF, 2ᵉ éd., 2002.

Bousquet Richard, *Insécurité, sortir de l'impasse*, J.-M. Laffont Éd., 2002.

Chesnais Jean-Claude, *Histoire de la violence*, Hachette, « Pluriel », 1981.

Cusson Maurice, *Croissance et décroissance du crime*, PUF, 1990.

Debarbieux Éric, *La violence en milieu scolaire*, ESF, 1996 et 1999.

Dray Julien, « La violence des jeunes dans les banlieues », rapport d'information nº 2832, Assemblée nationale, 1991-1992.

Dubet François, *Les quartiers d'exil*, Seuil, 1992.

Fillieule Renaud, *Sociologie de la délinquance*, PUF, 2001.

Foll Olivier, *L'insécurité en France*, Flammarion, 2002.

Foucault Michel, *Surveiller et punir*, Gallimard, « Tel », 1997.

Gourévitch Jean-Paul, *L'économie informelle*, Le Pré-aux-Clercs, 2002.

Gremy Jean-Paul, *Les Français et la sécurité*, Études et recherches de l'IHESI, 1997.

Haenel Hubert, « Le classement sans suite », rapport sénatorial nº 516, 1998.

Kelling Georges et Coles Catherine, *Fixing Broken Windows*, Touchstone, 1997.

Lagrange Hugues, *La civilité à l'épreuve*, PUF, 1997.

Raufer Xavier, *Sur la violence sociale*, Pauvert, 1983.

Robert Bruno *et al.*, *Les comptes du crime*, L'Harmattan, 1994.

Roché Sebastian, *Tolérance zéro ?*, Odile Jacob, 2002.

Rojzman Charles, *Savoir vivre ensemble*, Syros, 1998.

Rudolph Luc et Soullez Christophe, *Insécurité, la vérité*, J.-C. Lattès, 2002.

Samet Catherine (éd.), *Violence et délinquance des jeunes*, La Documentation française, 2001.

Thoenig Jean-Claude et Gatto Dominique, *La sécurité publique à l'épreuve du terrain*, IHESI-L'Harmattan, 1993.

Vincenot Alain, *Fleurs de béton*, Romillat, 2001.

Numéros spéciaux de *La Gazette des communes*, 5 janvier et 17 mai 2004.

Collection des *Cahiers de l'Institut des hautes études de la sécurité intérieure (IHESI)*, La Documentation française.

TABLE DES MATIÈRES